Abenteuer eines Brotbeutels und andere Geschichten

HEINRICH BÖLL

Abenteuer eines Brotbeutels und andere Geschichten

Selected and Edited by
RICHARD PLANT
COLLEGE OF THE CITY OF NEW YORK

General Editor: Jack M. Stein, *Harvard University*

NEW YORK
W · W · NORTON & COMPANY · INC ·

Library of Congress Catalog Card No. 58–5073

SBN 393 09459 6

PRINTED IN THE UNITED STATES OF AMERICA

2 3 4 5 6 7 8 9

Contents

Introduction

Heinrich Böll, born in Cologne (Rhineland) in 1917, is one of the few West German writers who, after World War II, have succeeded in reaching an international audience. He has received many literary prizes, among them one from the *Tribune de Paris,* and several of his books have been published in the United States.

In his shorter fiction, Böll continues a definite European tradition which began in the Twenties and Thirties and usually bears the label of "Neue Sachlichkeit." This expression, borrowed from architecture, means approximately "a new matter-of-factness." Böll strives for simplicity. He has a recognizable story line. He creates certain dramatic situations and shows us the reactions of his characters. Frequently, the situations are stronger than the people. Again and again, his unheroic heroes, his unsoldierly soldiers are overwhelmed by dilemmas which cannot be solved: they can only be endured.

Two of the samples offered here are sketches, almost mood pieces. For many years, European newspapers and magazines have printed such *Feuilletons,* as they are called: minor prose compositions, often with only a hint of action or characterization. Fortunately, Böll always manages to give even these small stories a definite frame and recognizable characters. Even as slight a sketch as "An der Brücke" has a beginning, an end, a special atmosphere, and a hero of decided individuality.

Two of our stories, and many of Böll's other productions, present a disabled veteran and his struggle for survival in a newly prosperous, overefficient world. Just as the narrator of "An der Brücke" does not really care about traffic statistics, so the one-legged ex-soldier of "Mein teures Bein" is not in the least interested in becoming a "useful member of society." This society, enamored of money and security, is abhorrent to Böll. Only the smart operators in "Abenteuer eines Brotbeutels" make money, but even they are not secure, because life is capricious, unpredictable and, fortunately, never dull.

Böll has written a number of satires and mock-heroic narratives. Our "Abenteuer eines Brotbeutels," tracing the adventures of a musette bag from World War I to World War II, pokes fun at the military mind and machinery, with a few especially pointed barbs reserved for the Hitler régime. "Erinnerungen eines jungen Königs" is a light comedy dominated by a typical Böll hero: an unkinglike king. This element of satire prevents most of Böll's stories from becoming too dark, too melancholy.

This is the first collection of Böll's writing to be published for students in the United States. The editors hope you will like them, and so does the author who wrote us that he would be very much interested in hearing the reaction of American students.

Abenteuer eines Brotbeutels
und andere Geschichten

❧

An der Brücke

Die haben mir meine Beine geflickt und haben mir einen Posten gegeben, wo ich sitzen kann: ich zähle die Leute, die über die neue Brücke gehen. Es macht ihnen ja Spaß,[1] sich ihre Tüchtigkeit mit Zahlen zu belegen, sie berauschen sich an diesem sinnlosen Nichts aus ein paar Ziffern, 5 und den ganzen Tag, den ganzen Tag, geht mein stummer Mund wie ein Uhrwerk, indem ich Nummer auf Nummer häufe, um ihnen abends den Triumph einer Zahl zu schenken. Ihre Gesichter strahlen, wenn ich ihnen das Ergebnis meiner Schicht mitteile, je höher die Zahl, um so mehr strahlen sie, 10 und sie haben Grund, sich befriedigt ins Bett zu legen, denn viele Tausende gehen täglich über ihre neue Brücke . . .

Aber ihre Statistik stimmt nicht. Es tut mir leid, aber sie stimmt nicht. Ich bin ein unzuverlässiger Mensch, obwohl ich es verstehe, den Eindruck von Biederkeit zu erwecken. 15

Insgeheim macht es mir Freude, manchmal einen zu unterschlagen und dann wieder, wenn ich Mitleid empfinde, ihnen ein paar zu schenken. Ihr Glück liegt in meiner Hand. Wenn ich wütend bin, wenn ich nichts zu rauchen habe, gebe ich nur den Durchschnitt an, manchmal unter dem Durchschnitt, und 20 wenn mein Herz aufschlägt, wenn ich froh bin, lasse ich meine Großzügigkeit in einer fünfstelligen Zahl verströmen. Sie sind ja so glücklich! Sie reißen mir jedesmal das Ergebnis förmlich aus der Hand, und ihre Augen leuchten auf, und sie klopfen mir auf die Schulter. Sie ahnen ja nichts! Und dann 25 fangen sie an zu multiplizieren, zu dividieren, zu prozen-

1. *es macht ihnen Spaß* — they enjoy

tualisieren,[2] ich weiß nicht was. Sie rechnen aus, wieviel heute jede Minute über die Brücke gehen und wieviel in zehn Jahren über die Brücke gegangen sein werden. Sie lieben das zweite Futur,[3] das zweite Futur ist ihre Spezialität — und doch, es tut mir leid, daß alles nicht stimmt . . .

Wenn meine kleine Geliebte über die Brücke kommt — und sie kommt zweimal am Tage —, dann bleibt mein Herz einfach stehen. Das unermüdliche Ticken meines Herzens setzt einfach aus, bis sie in die Allee eingebogen und verschwunden ist. Und alle, die in dieser Zeit passieren, verschweige ich ihnen. Diese zwei Minuten gehören mir, mir ganz allein, und ich lasse sie mir nicht nehmen. Und auch wenn sie abends wieder zurückkommt aus ihrer Eisdiele — ich weiß inzwischen, daß sie in einer Eisdiele arbeitet —, wenn sie auf der anderen Seite des Gehsteiges meinen stummen Mund passiert, der zählen, zählen muß, dann setzt mein Herz wieder aus, und ich fange erst wieder an zu zählen, wenn sie nicht mehr zu sehen ist. Und alle, die das Glück haben, in diesen Minuten vor meinen blinden Augen zu defilieren, gehen nicht in die Ewigkeit der Statistik ein: Schattenmänner und Schattenfrauen, nichtige Wesen, die im zweiten Futur der Statistik nicht mitmarschieren werden . . .

Es ist klar, daß ich sie liebe. Aber sie weiß nichts davon, und ich möchte auch nicht, daß sie es erfährt. Sie soll nicht ahnen, auf welche ungeheure Weise sie alle Berechnungen über den Haufen wirft, und ahnungslos und unschuldig soll sie mit ihren langen braunen Haaren und den zarten Füßen in ihre Eisdiele marschieren, und sie soll viel Trinkgeld bekommen. Ich liebe sie. Es ist ganz klar, daß ich sie liebe.

Neulich haben sie mich kontrolliert. Der Kumpel,[4] der auf der anderen Seite sitzt und die Autos zählen muß, hat mich früh genug gewarnt, und ich habe höllisch aufgepaßt. Ich

2. *prozentualisieren* — compute percentages
3. *zweite Futur* — future perfect
4. *Kumpel* — fellow worker, pal

habe gezählt wie verrückt, ein Kilometerzähler kann nicht besser zählen. Der Oberstatistiker selbst hat sich drüben auf die andere Seite gestellt und hat später sein Ergebnis einer Stunde mit meinem Stundenergebnis verglichen. Ich hatte nur einen weniger als er. Meine kleine Geliebte war vorbeigekommen, und niemals im Leben werde ich dieses hübsche Kind ins zweite Futur transponieren lassen, diese meine kleine Geliebte soll nicht multipliziert und dividiert und in ein prozentuales Nichts verwandelt werden. Mein Herz hat mir geblutet, daß ich zählen mußte, ohne ihr nachsehen zu können, und dem Kumpel drüben, der die Autos zählen muß, bin ich sehr dankbar gewesen. Es ging ja glatt um meine Existenz.[5]

Der Oberstatistiker hat mir auf die Schulter geklopft und hat gesagt, daß ich gut bin, zuverlässig und treu. „Eins in der Stunde verzählt", hat er gesagt, „macht nicht viel. Wir zählen sowieso einen gewissen prozentualen Verschleiß hinzu. Ich werde beantragen, daß Sie zu den Pferdewagen versetzt werden."

Pferdewagen ist natürlich die Masche.[6] Pferdewagen ist ein Lenz[7] wie nie zuvor. Pferdewagen gibt es höchstens fünfundzwanzig am Tage, und alle halbe Stunde einmal in seinem Gehirn die nächste Nummer fallen zu lassen, das ist ein Lenz!

Pferdewagen wäre herrlich. Zwischen vier und acht dürfen überhaupt keine Pferdewagen über die Brücke, und ich könnte spazierengehen oder in die Eisdiele, könnte sie mir lange anschauen oder sie vielleicht ein Stück nach Hause bringen, meine kleine ungezählte Geliebte . . .

5. *Es ging ja glatt um meine Existenz* — my very existence was at stake
6. *ist natürlich die Masche* — that's the right ticket
7. *ist ein Lenz* — is the real thing, is a stroke of luck

Abenteuer eines Brotbeutels[1]

Im September 1914 wurde in eine der roten Bromberger[2] Backsteinkasernen[3] ein Mann namens Joseph Stobski eingezogen, der zwar seinen Papieren nach deutscher Staatsbürger war, die Muttersprache seines offiziellen Vaterlandes
5 aber wenig beherrschte. Stobski war zweiundzwanzig Jahre alt, Uhrmacher, auf Grund „konstitutioneller Schwäche“ noch ungedient; er kam aus einem verschlafenen polnischen Nest, das Niestronno[4] hieß, hatte im Hinterzimmer des väterlichen Kottens[5] gehockt, Gravüren auf Doublé-Armbänder[6]
10 gekritzelt, zierliche Gravüren, hatte die Uhren der Bauern repariert, zwischendurch das Schwein gefüttert, die Kuh gemolken — und abends, wenn Dunkelheit über Niestronno fiel, war er nicht in die Kneipe, nicht zum Tanz gegangen, sondern hatte über einer Erfindung gebrütet, mit ölver-
15 schmierten Fingern an unzähligen Rädchen herumgefummelt,[7] sich Zigaretten gerollt, die er fast alle auf der Tischkante verkohlen ließ — während seine Mutter die Eier zählte und den Verbrauch an Petroleum beklagte.

1. *Brotbeutel* — musette bag, food bag
2. *Bromberg* — now Bydgoszcz, city in Poland. At the story's opening it was in the province of Posen (Poznan), Germany.
3. *Backsteinkasernen* — brick barracks
4. *Niestronno* — village in Poland, formerly German
5. *Kotte* — cottage
6. *Doublé-Armbänder* — bracelets of cheap metal, plated with a more expensive metal
7. *herumfummeln* — (*slang*) to mess around with

Nun zog er mit seinem Pappkarton in die rote Bromberger Backsteinkaserne, lernte die deutsche Sprache, soweit sie das Vokabularium der Dienstvorschrift, Kommandos, Gewehrteile umfaßte; außerdem wurde er mit dem Handwerk eines Infanteristen vertraut gemacht. In der Instruktionsstunde 5 sagte er Brott[8] statt Brot, sagte Kanonn statt Kanone, er fluchte polnisch, betete polnisch und betrachtete abends melancholisch das kleine Paket mit den ölverschmierten Rädern in seinem dunkelbraunen Spind,[9] bevor er in die Stadt ging, um seinen berechtigten Kummer mit Schnaps hinunter- 10 zuspülen.

Er schluckte den Sand der Tucheler Heide,[10] schrieb Postkarten an seine Mutter, bekam Speck geschickt, drückte sich sonntags vom offiziellen Gottesdienst und schlich sich in eine der polnischen Kirchen, wo er sich auf die Fliesen wer- 15 fen, weinen und beten konnte, obwohl derlei Innigkeit schlecht zu einem Mann in der Uniform eines preußischen Infanteristen paßte.

Im November 1914 fand man ihn ausgebildet genug, um ihn die Reise quer durch Deutschland nach Flandern[11] machen 20 zu lassen. Er hatte genug Handgranaten in den Sand der Tucheler Heide geworfen, hatte oft genug in die Schießstände geknallt, und Stobski schickte das Päckchen mit den ölverschmierten Rädern an seine Mutter, schrieb eine Postkarte dazu, ließ sich in einen Viehwaggon packen und begann die 25 Fahrt quer durch sein offizielles Vaterland, dessen Muttersprache er, soweit sie Kommandos umfaßte, beherrschen gelernt hatte. Er ließ sich von blühenden deutschen Mädchen Kaffee einschenken, Blumen ans Gewehr stecken, nahm Ziga-

8. *Brott statt Brot* — Slavic people speaking German tend to pronounce a final consonant as if it were doubled, thus shortening the preceding vowel.
9. *Spind* — locker, wardrobe
10. *Tucheler Heide* — heath near Bromberg, used as a drill field
11. *Flandern* — Flanders, province in N.W. Belgium, famous battle front in World War I.

retten entgegen, bekam einmal sogar von einer ältlichen Frau einen Kuß, und ein Mann mit einem Kneifer, der an einem Bahnübergang auf der Schranke lehnte, rief ihm mit sehr deutlicher Stimme ein paar lateinische Worte zu, von denen Stobski nur „tandem"[12] verstand. Er wandte sich mit diesem Wort hilfesuchend an seinen unmittelbaren Vorgesetzten, den Gefreiten Habke, der hinwiederum etwas von „Fahrrädern" murmelte, jede nähere Auskunft verweigernd. So überquerte Stobski ahnungslos, sich küssen lassend und küssend, mit Blumen, Schokolade und Zigaretten überhäuft, die Oder,[13] die Elbe, den Rhein und wurde nach zehn Tagen im Dunkeln auf einem schmutzigen belgischen Bahnhof ausgeladen. Seine Kompanie versammelte sich im Hof eines bäuerlichen Anwesens, und der Hauptmann schrie im Dunkeln etwas, was Stobski nicht verstand. Dann gab es Gulasch mit Nudeln, die in einer schlecht erleuchteten Scheune schnell aus einer Gulaschkanone[14] in die Kochgeschirre und aus den Kochgeschirren in die Gesichter hineingelöffelt wurden. Der Herr Unteroffizier Pillig ging noch einmal rund, hielt einen kurzen Appell ab, und zehn Minuten später marschierte die Kompanie ins Dunkel hinein westwärts; von diesem westlichen Himmel herüber kam das berühmte gewitterartige Grollen, manchmal blaffte[15] es dort rötlich auf, es fing an zu regnen, die Kompanie verließ die Straße, fast dreihundert Füße tappten über schlammige Feldwege; immer näher kam dieses künstliche Gewitter, die Stimmen der Offiziere und Unteroffiziere wurden heiser, hatten einen unangenehmen Unter-

12. *tandem* — What the man calls out is a Latin quotation which, according to a letter from Böll, contains the expression "tandem patria" in the sense that "finally the fatherland" is saved. Habke, not knowing Latin, thinks of the popular meaning of *tandem,* a large bicycle for two.
13. *Oder, Elbe, Rhein* — major German rivers which Stobski crosses on his trip from East to West.
14. *Gulaschkanone* — (*slang*) army cooking pot, chow bucket
15. *aufblaffen* — to flash and bang

ton. Stobski taten die Füße weh, sie taten ihm sehr weh, außerdem war er müde, er war sehr müde, aber er schleppte sich weiter, durch dunkle Dörfer, über schmutzige Wege, und das Gewitter, je näher sie ihm kamen, hörte sich immer widerwärtiger, immer künstlicher an. Dann wurden die 5 Stimmen der Offiziere und Unteroffiziere merkwürdig sanft, fast milde, und links und rechts war auf unsichtbaren Wegen und Straßen das Getrappel unzähliger Füße zu hören.

Stobski bemerkte, daß sie jetzt mitten in diesem künstlichen Gewitter drin waren, es zum Teil hinter sich hatten, 10 denn sowohl vor wie hinter ihnen blaffte es rötlich auf, und als der Befehl gegeben wurde, auszuschwärmen, lief er rechts vom Wege ab, hielt sich neben dem Gefreiten Habke, hörte Schreien, Knallen, Schießen, und die Stimmen der Offiziere und Unteroffiziere waren jetzt wieder heiser. Stobski taten 15 die Füße immer noch weh, sie taten ihm sehr weh, und er ließ Habke Habke sein,[16] setzte sich auf eine nasse Wiese. Er nahm den Stahlhelm ab, legte sein Gewehr neben sich ins Gras, löste die Haken seines Gepäcks, dachte an seine geliebten ölverschmierten Rädchen und schlief inmitten höchst kriege- 20 rischen Lärmes ein. Er träumte von seiner polnischen Mutter, die in der kleinen warmen Küche Pfannkuchen buk, und es kam ihm im Traum merkwürdig vor, daß die Kuchen, sobald sie fertig zu werden schienen, mit einem Knall in der Pfanne zerplatzten und nichts von ihnen übrigblieb. Seine kleine 25 Mutter füllte immer schneller mit dem Schöpflöffel Teig ein, kleine Kuchen buken sich zusammen, platzten einen Augenblick, bevor sie gar waren, und die kleine Mutter bekam plötzlich die Wut — im Traum mußte Stobski lächeln, denn seine kleine Mutter war nie richtig wütend geworden — und 30 schüttete den ganzen Inhalt der Teigschüssel mit einem Guß in die Pfanne; ein großer, dicker, gelber Kuchen lag nun da, so groß wie die Pfanne, wurde größer, knusprig, blähte sich;

16. *er ließ Habke Habke sein* (*colloquial*) — stopped paying attention to Habke

schon grinste Stobskis kleine Mutter befriedigt, nahm das Pfannenmesser, schob es unter den Kuchen, und — bums![17] — gab es einen besonders schrecklichen Knall, und Stobski hatte keine Zeit mehr, davon zu erwachen, denn er war tot.

Vierhundert Meter von der Stelle entfernt, an der ein Volltreffer Stobski getötet hatte, fanden Soldaten aus seiner Kompanie acht Tage später in einem englischen Grabenstück* Stobskis Brotbeutel mit einem Stück des zerfetzten Koppels[18] — sonst fand man auf dieser Erde nichts mehr von ihm. Und als man nun in diesem englischen Grabenstück Stobskis Brotbeutel fand mit einem Stück heimatlicher Dauerwurst, der Eisernen Ration und einem polnischen Gebetbuch, nahm man an, Stobski sei in unwahrscheinlichem Heldenmut am Tage des Sturmes weit in die englischen Linien hineingelaufen und dort getötet worden. Und so bekam die kleine polnische Mutter in Niestronno einen Brief des Hauptmanns Hummel, der vom großen Heldenmut des Gemeinen Stobski berichtete. Die kleine Mutter ließ sich den Brief von ihrem Pfarrer übersetzen, weinte, faltete den Brief zusammen, legte ihn zwischen die Leintücher und ließ drei Seelenmessen lesen.

Aber sehr plötzlich eroberten die Engländer das Grabenstück wieder, und Stobskis Brotbeutel fiel in die Hände des englischen Soldaten Wilkins Grayhead. Der aß die Dauerwurst, warf kopfschüttelnd das polnische Gebetbuch in den flandrischen[19] Schlamm, rollte den Brotbeutel zusammen und verleibte ihn seinem Gepäck ein. Grayhead verlor zwei Tage später sein linkes Bein, wurde nach London transportiert, dreiviertel Jahre später aus der Royal Army entlassen, bekam eine schmale Rente und wurde, weil er dem ehrenwerten Beruf eines Trambahnführers nicht mehr nachgehen konnte, Pförtner in einer Londoner Bank.

Nun sind die Einkünfte eines Pförtners nicht großartig,

17. *bums* — boom!
18. *Koppel* — strap, web-belt
19. *flandrisch* — of Flanders

* *Grabenstück* — part of a ditch.

und Wilkins hatte aus dem Krieg zwei Laster mitgebracht: Er soff und rauchte, und weil sein Einkommen nicht ausreichte, fing er an, Gegenstände zu verkaufen, die ihm überflüssig erschienen, und ihm erschien fast alles überflüssig. Er verkaufte seine Möbel, versoff das Geld, verkaufte seine Kleider bis auf einen einzigen schäbigen Anzug, und als er nichts mehr zu verkaufen hatte, entsann er sich des schmutzigen Bündels, das er bei seiner Entlassung aus der Royal Army in den Keller gebracht hatte. Und nun verkaufte er die unterschlagene, inzwischen verrostete Armeepistole, eine Zeltbahn,[20] ein Paar Schuhe und Stobskis Brotbeutel. (Über Wilkins Grayhead ganz kurz folgendes: Er verkam. Hoffnungslos dem Trunke ergeben, verlor er Ehre und Stellung, wurde zum Verbrecher, wanderte trotz des verlorenen Beins, das in Flanderns Erde ruhte, ins Gefängnis.)

Stobskis Brotbeutel aber ruhte in dem düsteren Gewölbe eines Altwarenhändlers zu Soho genau zehn Jahre — bis zum Jahre 1926. Im Sommer dieses Jahres las der Altwarenhändler Luigi Banollo sehr aufmerksam das Schreiben einer gewissen Firma Handsuppers Ltd., die ihr offenkundiges Interesse für Kriegsmaterial aller Art so deutlich kundgab, daß Banollo sich die Hände rieb. Mit seinem Sohn durchsuchte er seine gesamten Bestände und förderte zutage: 27 Armeepistolen, 58 Kochgeschirre, mehr als hundert Zeltbahnen, 35 Tornister, 18 Brotbeutel und 28 Paar Schuhe — alles von den verschiedensten europäischen Heeren. Für die gesamte Fracht bekam Banollo einen Scheck über 18 Pfund Sterling, ausgestellt auf eine der solidesten Londoner Banken. Banollo hatte, grob gerechnet, einen Gewinn von fünfhundert Prozent erzielt. Der jugendliche Banollo aber sah vor allem das Schwinden der Schuhe mit einer Erleichterung, die kaum beschrieben werden kann, denn es war eines seiner Aufgaben-

20. *Zeltbahn* — shelter half; one half of a pup tent carried by infantrymen

gebiete[21] gewesen, diese Schuhe zu kneten, zu fetten, kurzum, sie zu pflegen, eine Aufgabe, deren Ausmaß jedem klar ist, der je ein einziges Paar Schuhe hat pflegen müssen.

Die Firma Handsuppers Ltd. aber verkaufte den ganzen 5 Kram, den Banollo ihr verkauft hatte, mit einem Gewinn von achthundertfünfzig Prozent (das war ihr normaler Satz) an einen südamerikanischen Staat, der drei Wochen vorher zu der Erkenntnis gekommen war, der Nachbarstaat bedrohe ihn, und sich nun entschlossen hatte, dieser Bedrohung zuvor-10 zukommen. Der Brotbeutel des Gemeinen Stobski aber, der die Überfahrt nach Südamerika im Bauch eines schmutzigen Schiffes bestand (die Firma Handsuppers bediente sich nur schmutziger Schiffe), kam in die Hände eines Deutschen namens Reinhold von Adams, der die Sache des südameri-15 kanischen Staates gegen ein Handgeld von fünfundvierzig Peseten[22] zu seiner eigenen gemacht hatte. Von Adams hatte erst zwölf von den fünfundvierzig Peseten vertrunken, als er aufgefordert wurde, unter der Führung des Generals Lalango, den Ruf „Sieg und Beute" auf den Lippen, gegen die 20 Grenze des Nachbarstaates zu ziehen. Aber Adams bekam eine Kugel mitten in den Kopf, und Stobskis Brotbeutel geriet in den Besitz eines Deutschen, der Wilhelm Habke hieß und für ein Handgeld von nur fünfunddreißig Peseten die Sache des anderen südamerikanischen Staates zu seiner 25 eigenen gemacht hatte. Habke kassierte[23] den Brotbeutel, die restlichen dreiunddreißig Peseten und fand außerdem ein Stück Brot und eine halbe Zwiebel, die ihren Geruch den Pesetenscheinen bereits mitgeteilt hatte. Aber Habkes ethische und ästhetische Bedenken waren gering; er tat sein Handgeld 30 dazu, ließ sich dreißig Peseten Vorschuß geben, nachdem er zum Korporal der siegreichen Nationalarmee ernannt worden war, und als er den Deckel des Brotbeutels aufschlug, dort den

21. *Aufgabengebiet* — duty, job
22. *Peseten* — peseta is a unit of money
23. *kassieren* — to appropriate

schwarzen Tuschestempel[24] VII/2/II entdeckte, entsann er sich seines Onkels Joachim Habke, der in diesem Regiment gedient hatte und gefallen war; heftiges Heimweh befiel ihn. Er nahm seinen Abschied, bekam ein Bild des Generals Gublanez geschenkt und gelangte auf Umwegen nach Berlin, 5 und als er vom Bahnhof Zoo[25] mit der Straßenbahn nach Spandau[26] fuhr, fuhr er — ohne es zu ahnen — an der Heereszeugmeisterei[27] vorbei, in der Stobskis Brotbeutel im Jahre 1914 acht Tage gelegen hatte, bevor er nach Bromberg geschickt worden war. 10

Habke wurde von seinen Eltern freudig begrüßt, nahm seinen eigentlichen Beruf, den eines Expedienten,[28] wieder auf, aber bald zeigte sich, daß er zu politischen Irrtümern neigte. Im Jahre 1929 schloß er sich der Partei mit der häßlichen kotbraunen Uniform an, nahm den Brotbeutel, den er 15 neben dem Bild des Generals Gublanez über seinem Bett hängen hatte, von der Wand und führte ihn praktischer Verwendung zu: Er trug ihn zu der kotbraunen Uniform, wenn er sonntags in die Heide zog, um zu üben. Bei den Übungen glänzte Habke durch militärische Kenntnisse; er schnitt ein 20 wenig auf, machte sich zum Bataillonsführer in jenem südamerikanischen Krieg, erklärte ausführlich, wo, wie und warum er damals seine schweren Waffen eingesetzt hatte. Es war ihm ganz entfallen, daß er ja nur den armen von Adams mitten in den Kopf geschossen, seiner Peseten beraubt und 25 den Brotbeutel an sich genommen hatte. Habke heiratete im Jahre 1929, und 1930 gebar ihm seine Frau einen Knaben, der den Namen Walter erhielt. Walter gedieh, obwohl seine beiden ersten Lebensjahre unter dem Zeichen der Arbeits-

24. *Tuschestempel* — an indelible rubber stamp. Numbers refer to division, regiment, and battalion.
25. *Bahnhof Zoo* — railroad station in Berlin
26. *Spandau* — town near Berlin
27. *Heereszeugmeisterei* — army ordnance building
28. *Expedient* — dispatcher

losenunterstützung[29] standen; aber schon als er vier Jahre alt war, bekam er jeden Morgen Keks, Büchsenmilch und Apfelsinen, und als er sieben war, bekam er von seinem Vater den verwaschenen Brotbeutel überreicht mit den Worten:
5 „Halte dieses Stück in Ehren, es stammt von deinem Großonkel Joachim Habke, der sich vom Gemeinen zum Hauptmann emporgedient, achtzehn Schlachten überstanden hatte und von roten Meuterern im Jahre 1918 erschossen wurde. Ich selbst trug ihn im südamerikanischen Krieg, in dem ich
10 nur Oberstleutnant war, obwohl ich General hätte werden können, wenn das Vaterland meiner nicht bedurft hätte."

Walter hielt den Brotbeutel hoch in Ehren. Er trug ihn zu seiner eigenen kotbraunen Uniform vom Jahre 1936 bis 1944, gedachte häufig seines heldenhaften Großonkels, seines hel-
15 denhaften Vaters und legte den Brotbeutel, wenn er in Scheunen übernachtete, vorsichtig unter seinen Kopf. Er bewahrte Brot, Schmelzkäse, Butter, sein Liederbuch darin auf, bürstete, wusch ihn und war glücklich, je mehr sich die gelbliche Farbe in ein sanftes Weiß verwandelte. Er ahnte nicht, daß
20 der sagenhafte und heldenhafte Großonkel als Gefreiter auf einem lehmigen flandrischen Acker gestorben war, nicht weit von der Stelle entfernt, an der ein Volltreffer den Gemeinen Stobski getötet hatte.

Walter Habke wurde fünfzehn, lernte mühsam Englisch,
25 Mathematik und Latein auf dem Spandauer Gymnasium,[30] verehrte den Brotbeutel und glaubte an Helden, bis er selbst gezwungen wurde, einer zu sein. Sein Vater war längst nach Polen gezogen, um dort irgendwie und irgendwo Ordnung zu schaffen, und kurz nachdem der Vater wütend aus Polen
30 zurückgekommen war, zigarettenrauchend und „Verrat" murmelnd, im engen Spandauer Wohnzimmer auf und ab ging,

29. *Arbeitslosenunterstützung* — unemployment relief
30. *Gymnasium* — roughly equivalent to high school and the first two years of college

kurz danach wurde Walter Habke gezwungen, ein Held zu sein.

In einer Märznacht des Jahres 1945 lag er am Rande eines pommerschen[31] Dorfes hinter einem Maschinengewehr, hörte dem dunklen gewitterartigen Grollen zu, das genauso klang, wie es in den Filmen geklungen hatte; er drückte den Abzug des Maschinengewehrs, schoß Löcher in die dunkle Nacht und spürte den Drang zu weinen. Er hörte Stimmen in der Nacht, Stimmen, die er nicht kannte, schoß weiter, schob einen neuen Gurt[32] ein, schoß, und als er den zweiten Gurt verschossen hatte, fiel ihm auf, daß es sehr still war: Er war allein. Er stand auf, rückte sein Koppel zurecht, vergewisserte sich des Brotbeutels und ging langsam in die Nacht hinein westwärts. Er hatte angefangen, etwas zu tun, was dem Heldentum sehr schädlich ist: Er hatte angefangen nachzudenken — er dachte an das enge, aber sehr gemütliche Wohnzimmer, ohne zu ahnen, daß er an etwas dachte, das es nicht mehr gab; der junge Banollo, der Walters Brotbeutel einmal in der Hand gehabt hatte, war inzwischen vierzig Jahre alt geworden, war in einem Bombenflugzeug über Spandau gekreist, hatte den Schacht[33] geöffnet und das enge, aber gemütliche Wohnzimmer zerstört, und Walters Vater ging jetzt im Keller des Nachbarhauses auf und ab, rauchte Zigaretten, murmelte „Verrat" und hatte ein unordentliches Gefühl, wenn er an die Ordnung dachte, die er in Polen geschaffen hatte.

Walter ging nachdenklich westwärts in dieser Nacht, fand endlich eine verlassene Scheune, setzte sich, schob den Brotbeutel vorne auf den Bauch, öffnete ihn, aß Kommißbrot,[34] Margarine, ein paar Bonbons,[35] und so fanden ihn russische Soldaten: schlafend, mit verweintem Gesicht, einen Fünfzehn-

31. *pommersch* — Pomeranian; referring to Pomerania, a former province in Prussia, now in Poland.
32. *Gurt* — cartridge belt
33. *Schacht* — bomb bay
34. *Kommißbrot* — army bread
35. *Bonbons* — hard candy

jährigen, leergeschossene Patronengurte um den Hals, mit säuerlich nach Bonbon riechendem Atem. Sie schubsten[36] ihn in eine Kolonne, und Walter Habke zog ostwärts. Nie mehr sollte er Spandau wiedersehen.

5 Inzwischen war Niestronno deutsch gewesen, polnisch geworden, war wieder deutsch, wieder polnisch geworden, und Stobskis Mutter war fünfundsiebzig Jahre alt. Der Brief des Hauptmanns Hummel lag immer noch im Schrank, der längst kein Leinen mehr enthielt; Kartoffeln bewahrte Frau Stobski 10 darin auf, weit hinter den Kartoffeln lag ein großer Schinken, standen in einer Porzellanschüssel die Eier, stand tief im Dunkeln ein Kanister mit Öl. Unter dem Bett war Holz gestapelt, und an der Wand brannte rötlich das Öllicht vor dem Bild der Muttergottes von Czenstochau.[37] Hinten im Stall 15 lungerte ein mageres Schwein, eine Kuh gab es nicht mehr, und im Hause tobten die sieben Kinder der Wolniaks,[38] deren Haus in Warschau[39] zerstört worden war. Und draußen auf der Straße kamen sie vorbeigezogen: schlappe Soldaten mit wunden Füßen und armseligen Gesichtern. Sie kamen fast je- 20 den Tag. Zuerst hatte der Wolniak an der Straße gestanden, geflucht, hin und wieder einen Stein aufgehoben, sogar damit geworfen, aber nun blieb er hinten in seinem Zimmer sitzen, wo einst Joseph Stobski Uhren repariert, Armbänder graviert und abends an seinen ölverschmierten Rädchen her- 25 umgefummelt hatte.

Im Jahre 1939 waren polnische Gefangene ostwärts an ihnen vorbeigezogen, andere polnische Gefangene westwärts, später waren russische Gefangene westwärts an ihnen vorbeigezogen, und nun zogen schon lange deutsche Gefangene ost- 30 wärts an ihnen vorbei, und obwohl die Nächte noch kalt wa-

36. *schubsen* — (*slang*) shove
37. *Muttergottes von Czenstochau* — Virgin of Czestochowa; a painted image of the Virgin, ascribed to St. Luke, in a monastery in the Polish town of Czestochowa
38. *Wolniak* — Polish family name
39. *Warschau* — Warsaw

ren und dunkel, tief der Schlaf der Leute in Niestronno, sie wurden wach, wenn nachts das sanfte Getrappel über die Straßen ging.

Frau Stobski war eine der ersten, die morgens in Niestronno aufstanden. Sie zog einen Mantel über ihr grünliches Nachthemd, entzündete Feuer im Ofen, goß Öl auf das Lämpchen vor dem Muttergottesbild, brachte die Asche auf den Misthaufen, gab dem mageren Schwein zu fressen, ging dann in ihr Zimmer zurück, um sich für die Messe umzuziehen. Und eines Morgens im April 1945 fand sie vor der Schwelle ihres Hauses einen sehr jungen blonden Mann, der in seinen Händen einen verwaschenen Brotbeutel hielt, ihn fest umklammerte. Frau Stobski schrie nicht. Sie legte den gestrickten schwarzen Beutel, in dem sie ein polnisches Gebetbuch, ein Taschentuch und ein paar Krümelchen Thymian[40] aufbewahrte — sie legte den Beutel auf die Fensterbank, beugte sich zu dem jungen Mann hinunter und sah sofort, daß er tot war. Auch jetzt schrie sie nicht. Es war noch dunkel, nur hinter den Kirchenfenstern flackerte es gelblich, und Frau Stobski nahm dem Toten vorsichtig den Brotbeutel aus den Händen, den Brotbeutel, der einmal das Gebetbuch ihres Sohnes und ein Stück Dauerwurst von einem ihrer Schweine enthalten hatte, zog den Jungen auf die Fliesen des Flures, ging in ihr Zimmer, nahm den Brotbeutel — wie zufällig — mit, warf ihn auf den Tisch und suchte in einem Packen schmutziger, fast wertloser Zlotyscheine.[41] Dann machte sie sich auf den Weg ins Dorf, um den Totengräber zu wecken.

Später, als der Junge beerdigt war, fand sie den Brotbeutel auf ihrem Tisch, nahm ihn in die Hand, zögerte — dann suchte sie den Hammer und zwei Nägel, schlug die Nägel in die Wand, hing den Brotbeutel daran auf und beschloß, ihre Zwiebeln darin aufzubewahren.

Sie hätte den Brotbeutel nur etwas weiter aufzuschlagen,

40. *Thymian* — thyme
41. *Zlotyscheine* — zloty notes; Polish money

seine Klappe ganz zu öffnen brauchen, dann hätte sie den schwarzen Tuschestempel entdeckt, der dieselbe Nummer zeigte wie der Stempel auf dem Briefkopf des Hauptmanns Hummel.

Aber so weit hat sie den Brotbeutel nie aufgeschlagen.

Auch Kinder sind Zivilisten

„Es geht nicht“, sagte der Posten mürrisch.

„Warum?“ fragte ich.

„Weil's verboten ist.“

„Warum ist's verboten?“

„Weil's verboten ist, Mensch, es ist für Patienten verboten, rauszugehen.“ 5

„Ich“, sagte ich stolz, „ich bin doch verwundet.“

Der Posten blickte mich verächtlich an: „Du bist wohl 's erste Mal verwundet, sonst wüßtest du, daß Verwundete auch Patienten sind, na[1] geh schon jetzt.“ 10

Aber ich konnte es nicht einsehen.

„Versteh mich doch“, sagte ich, „ich will ja nur Kuchen kaufen von dem Mädchen da.“

Ich zeigte nach draußen, wo ein hübsches kleines Russenmädchen im Schneegestöber stand und Kuchen feilhielt. 15

„Mach, daß du reinkommst!“[2]

Der Schnee fiel leise in die riesigen Pfützen auf dem schwarzen Schulhof, das Mädchen stand da, geduldig, und rief leise immer wieder: „Chuchen[3] . . . Chuchen . . .“

„Mensch“, sagte ich zu dem Posten, „mir läuft's Wasser im Munde zusammen,[4] dann laß doch das Kind eben reinkommen.“ 20

1. *na* — well, now
2. *Mach, daß du reinkommst* — come on, get back!
3. *Chuchen* = Kuchen
4. *mir läuft's Wasser im Mund zusammen* — my mouth is watering

„Es ist verboten, Zivilisten reinzulassen."

„Mensch", sagte ich, „das Kind ist doch ein Kind."

Er blickte mich wieder verächtlich an. „Kinder sind wohl keine Zivilisten, was?"

Es war zum Verzweifeln, die leere, dunkle Straße war von Schneestaub eingehüllt, und das Kind stand ganz allein da und rief immer wieder: „Chuchen . . .", obwohl niemand vorbeikam.

Ich wollte einfach rausgehen, aber der Posten packte mich schnell am Ärmel und wurde wütend: „Mensch", schrie er, „hau jetzt ab,[5] sonst hol' ich den Feldwebel."

„Du bist ein Rindvieh", sagte ich zornig.

„Ja", sagte der Posten befriedigt, „wenn man noch 'ne Dienstauffassung hat, ist man bei euch ein Rindvieh."

Ich blieb noch eine halbe Minute im Schneegestöber stehen und sah, wie die weißen Flocken zu Dreck wurden; der ganze Schulhof war voll Pfützen, und dazwischen lagen kleine weiße Inseln wie Puderzucker. Plötzlich sah ich, wie das hübsche kleine Mädchen mir mit den Augen zwinkerte und scheinbar gleichgültig die Straße hinunterging. Ich ging ihr auf der Innenseite der Mauer nach.

„Verdammt", dachte ich, „ob ich denn tatsächlich ein Patient bin?" Und dann sah ich, daß da ein kleines Loch in der Mauer war, und vor dem Loch stand das Mädchen mit dem Kuchen. Der Posten konnte uns hier nicht sehen.

„Der Führer[6] segne deine Dienstauffassung", dachte ich.

Die Kuchen sahen prächtig aus: Makronen und Buttercremeschnitten, Hefekringel und Nußecken, die von Öl glänzten. „Was kosten sie?" fragte ich das Kind.

Sie lächelte, hob mir den Korb entgegen und sagte mit ihrem feinen Stimmchen: „Dreimarkfinfzig[7] das Stick."

„Jedes?"

5. *hau jetzt ab* — beat it
6. *Der Führer* — the leader; mocking allusion to Hitler
7. *finfzig* = fünfzig

„Ja“, nickte sie.

Der Schnee fiel auf ihr feines, blondes Haar und puderte
sie mit flüchtigem silbernem Staub; ihr Lächeln war einfach
entzückend. Die düstere Straße hinter ihr war ganz leer, und
die Welt schien tot . . . 5

Ich nahm einen Hefekringel und kostete ihn. Das Zeug
schmeckte prachtvoll, es war Marzipan darin. „Aha“, dachte
ich, „deshalb sind die auch so teuer wie die anderen.“

Das Mädchen lächelte. „Gut?“ fragte sie, „gut?“

Ich nickte nur: mir machte die Kälte nichts,[8] ich hatte einen 10
dicken Kopfverband. Ich probierte noch eine Buttercremeschnitte und ließ das prachtvolle Zeug langsam im Munde zerschmelzen.

„Komm“, sagte ich leise, „ich nehme alles, wieviel hast du?“

Sie fing vorsichtig mit einem zarten, kleinen, ein bißchen 15
schmutzigen Zeigefinger an zu zählen, während ich eine Nußecke verschluckte. Es war sehr still, und es schien mir fast, als
wäre ein leises sanftes Weben in der Luft von den Schnee-
flocken. Sie zählte sehr langsam, verzählte sich ein paarmal,
und ich stand ganz ruhig dabei und aß noch zwei Stücke. 20
Dann hob sie ihre Augen plötzlich zu mir, so erschreckend
senkrecht, daß ihre Pupillen ganz nach oben standen, und das
Weiße in den Augen war so dünnblau wie Magermilch. Irgend
etwas zwitscherte sie mir auf russisch zu, aber ich zuckte
lächelnd die Schultern, und dann bückte sie sich und schrieb 25
mit ihren schmutzigen Fingerchen eine 45[9] in den Schnee; ich
zählte meine fünf dazu und sagte: „Gib mir auch den Korb,
ja?“

8. *mir machte die Kälte nichts* — the cold did not bother me

9. *45 in den Schnee . . .* — The narrator is now buying forty-five pieces of pastry. He then adds the five pieces he has eaten. He pays, according to a letter from the author, the high "official black market price." The soldiers were paid in "occupation mark" bills whose value was doubtful. They didn't mind paying high prices. The black market between army and civilian population was flourishing.

Sie nickte und gab mir den Korb vorsichtig durch das Loch, ich reichte zwei Hundertmarkscheine hinaus. Geld hatten wir satt,[10] für einen Mantel bezahlten die Russen siebenhundert Mark, und wir hatten drei Monate nichts gesehen als Dreck und Blut und Geld . . .

„Komm morgen wieder, ja"? sagte ich leise, aber sie hörte nicht mehr auf mich, ganz flink war sie weggehuscht, und als ich traurig meinen Kopf durch die Mauerlücke steckte, war sie schon verschwunden, und ich sah nur die stille russische Straße, düster und vollkommen leer; die flachdachigen Häuser schienen langsam von Schnee zugedeckt zu werden. Lange stand ich so da wie ein Tier, das mit traurigen Augen durch die Hürde hinausblickt, und erst als ich spürte, daß mein Hals steif wurde, nahm ich den Kopf ins Gefängnis zurück.

Und jetzt erst roch ich, daß es da in der Ecke abscheulich stank, und die hübschen, kleinen Kuchen waren alle mit einem zarten Zuckerguß von Schnee bedeckt. Ich nahm müde den Korb und ging aufs Haus zu; mir war nicht kalt, ich hätte noch eine Stunde im Schnee stehen können. Ich ging, weil ich doch irgendwohin gehen mußte. Man muß doch irgendwohin gehen, das muß man doch. Man kann ja nicht stehen bleiben und sich zuschneien lassen. Irgendwohin muß man gehen, auch wenn man verwundet ist in einem fremden, schwarzen, sehr dunklen Land . . .

10. *Geld hatten wir satt* — (*slang*) we had plenty of money

Mein teures Bein

Sie haben mir jetzt eine Chance gegeben. Sie haben mir eine Karte geschrieben, ich soll zum Amt kommen, und ich bin zum Amt gegangen. Auf dem Amt waren sie sehr nett. Sie nahmen meine Karteikarte und sagten: „Hm." Ich sagte auch: „Hm". „Welches Bein?" fragte der Beamte. 5

„Rechts."

„Ganz?"

„Ganz."

„Hm", machte er wieder. Dann durchsuchte er verschiedene Zettel. Ich durfte mich setzen. 10

Endlich fand der Mann einen Zettel, der ihm der richtige zu sein schien. Er sagte: „Ich denke, hier ist etwas für Sie. Eine nette Sache. Sie können dabei[1] sitzen. Schuhputzer in einer Bedürfnisanstalt auf dem Platz der Republik. Wie wäre das?" 15

„Ich kann nicht Schuhe putzen; ich bin immer schon aufgefallen wegen schlechten Schuhputzens."

„Das können Sie lernen", sagte er. „Man kann alles lernen. Ein Deutscher kann alles. Sie können, wenn Sie wollen, einen kostenlosen Kursus mitmachen." 20

„Hm", machte ich.

„Also gut?"

„Nein", sagte ich, „ich will nicht. Ich will eine höhere Rente[2] haben."

„Sie sind verrückt", erwiderte er sehr freundlich und milde. 25

1. *dabei* — while working
2. *Rente* — pension, disability compensation

„Ich bin nicht verrückt, kein Mensch kann mir mein Bein ersetzen, ich darf nicht einmal mehr Zigaretten verkaufen,[3] sie machen jetzt schon Schwierigkeiten."

Der Mann lehnte sich weit in seinen Stuhl zurück und
5 schöpfte eine Menge Atem. „Mein lieber Freund", legte er los,[4] „Ihr Bein ist ein verflucht teures Bein. Ich sehe, daß Sie neunundzwanzig Jahre sind, von Herzen gesund, überhaupt vollkommen gesund, bis auf das Bein. Sie werden siebzig Jahre alt. Rechnen Sie sich bitte aus, monatlich siebzig Mark,
10 zwölfmal im Jahr, also einundvierzig mal zwölf mal siebzig. Rechnen Sie das bitte aus, ohne die Zinsen, und denken Sie doch nicht, daß Ihr Bein das einzige Bein ist. Sie sind auch nicht der einzige, der wahrscheinlich lange leben wird. Und dann Rente erhöhen! Entschuldigen Sie, aber Sie sind ver-
15 rückt."

„Mein Herr", sagte ich, lehnte mich nun gleichfalls zurück und schöpfte eine Menge Atem, „ich denke, daß Sie mein Bein stark unterschätzen. Mein Bein ist viel teurer, es ist ein sehr teures Bein. Ich bin nämlich nicht nur von Herzen, sondern
20 leider auch im Kopf vollkommen gesund. Passen Sie mal auf."

„Meine Zeit ist sehr kurz."

„Passen Sie auf!" sagte ich. „Mein Bein hat nämlich einer Menge von Leuten das Leben gerettet, die heute eine nette Rente beziehen.

25 „Die Sache war damals so: Ich lag ganz allein irgendwo vorne und sollte aufpassen, wann sie kämen, damit die anderen zur richtigen Zeit stiften gehen[5] konnten. Die Stäbe hinten waren am Packen und wollten nicht zu früh, aber auch nicht

3. *ich darf nicht einmal mehr Zigaretten verkaufen . . .* — The story takes place immediately after World War II. Cigarettes could be bought only at the black market. The authorities punished those selling them but sometimes looked the other way in the case of a disabled veteran. If, as in our story, the veteran started to make trouble, they would threaten him with arrest.
4. *loslegen* — to start in
5. *stiften gehen* — (*army slang*) run away

zu spät stiften gehen. Erst waren wir zwei, aber den anderen haben sie totgeschossen, der kostet nichts mehr. Er war zwar verheiratet, aber seine Frau ist gesund und kann arbeiten, Sie brauchen keine Angst zu haben. Der war also furchtbar billig. Er war erst vier Wochen Soldat und hat nichts gekostet als 5 eine Postkarte und ein bißchen Kommißbrot.[6] Das war einmal ein braver Soldat, der hat sich wenigstens richtig totschießen lassen. Nun lag ich aber da allein und hatte Angst, und es war kalt, und ich wollte auch stiften gehen, ja, ich wollte gerade stiften gehen, da . . ." 10

„Meine Zeit ist sehr kurz", sagte der Mann und fing an, nach seinem Bleistift zu suchen.

„Nein, hören Sie zu", sagte ich, „jetzt wird es erst interessant. Gerade als ich stiften gehen wollte, kam die Sache mit dem Bein. Und weil ich doch liegen bleiben mußte, dachte ich, 15 jetzt kannst du's auch durchgeben,[7] und ich hab's durchgegeben, und sie hauten alle ab,[8] schön der Reihe nach, erst die Division, dann das Regiment, dann das Bataillon, und so weiter, immer hübsch der Reihe nach. Eine dumme Geschichte, sie vergaßen nämlich, mich mitzunehmen, verstehen Sie? Sie 20 hatten's so eilig. Wirklich eine dumme Geschichte, denn hätte ich das Bein nicht verloren, wären sie alle tot, der General, der Oberst, der Major, immer schön der Reihe nach, und Sie brauchten ihnen keine Rente zahlen. Nun rechnen Sie mal aus, was mein Bein kostet. Der General ist zweiundfünfzig, 25 der Oberst achtundvierzig und der Major fünfzig, alle kerngesund, von Herzen und im Kopf, und sie werden bei ihrer militärischen Lebensweise mindestens achtzig. Bitte rechnen Sie jetzt aus: einhundertsechzig mal zwölf mal dreißig, sagen wir ruhig durchschnittlich dreißig, nicht wahr? Mein Bein ist 30 ein wahnsinnig teures Bein geworden, eines der teuersten Beine, die ich mir denken kann, verstehen Sie?"

6. *Kommißbrot* — army bread
7. *durchgeben* — pass the word
8. *abhauen* — (*slang*) go away, "beat it"

„Sie sind doch verrückt", sagte der Mann.

„Nein", erwiderte ich, „ich bin nicht verrückt. Leider bin ich von Herzen ebenso gesund wie im Kopf, und es ist schade, daß ich nicht auch zwei Minuten, bevor das mit dem Bein
5 kam, totgeschossen wurde. Wir hätten viel Geld gespart."

„Nehmen Sie die Stelle an?" fragte der Mann.

„Nein", sagte ich und ging.

❧

Die Botschaft

Kennen Sie jene Drecknester,[1] wo man sich vergebens fragt, warum die Eisenbahn dort eine Station eingerichtet hat; wo die Unendlichkeit über ein paar schmutzigen Häusern und einer halbverfallenen Fabrik erstarrt scheint,[2] ringsum Felder, wie zu ewiger Unfruchtbarkeit verdammt; 5 wo man mit einem Male spürt, daß sie trostlos sind, weil kein Baum und nicht einmal ein Kirchturm zu sehen ist? Der Mann mit der roten Mütze,[3] der den Zug endlich, endlich wieder abfahren läßt, verschwindet unter einem großen Schild mit hochtönendem Namen, und man glaubt, daß er nur be- 10 zahlt wird, um zwölf Stunden am Tage mit Langeweile zugedeckt zu schlafen. Ein grauverhangener[4] Horizont über öden Äckern, die niemand bestellt.

Trotzdem war ich nicht der einzige, der ausstieg; eine alte Frau mit einem großen braunen Paket entstieg dem Abteil 15 neben mir, aber als ich den kleinen schmuddeligen[5] Bahnhof verlassen hatte, war sie wie von der Erde verschluckt, und ich war einen Augenblick ratlos, denn ich wußte nicht, wen ich nach dem Wege fragen sollte. Die wenigen Backsteinhäuser mit ihren toten Fenstern und gelblich-trüben Gardinen sahen 20 aus, als könnten sie unmöglich bewohnt sein, und quer zu dieser Andeutung einer Straße verlief eine schwarze Mauer,

1. *Drecknest* — dirty "hicktown"
2. *wo die Unendlichkeit . . . erstarrt scheint* — where infinity seems to have been frozen above a couple of grimy houses and a half-broken-down factory
3. *Mann mit der roten Mütze* — train dispatcher
4. *grauverhangen* — covered with gray
5. *schmuddelig* — filthy

die zusammenzubrechen schien. Ich ging auf die finstere Mauer zu, denn ich fürchtete mich, an eins dieser Totenhäuser zu klopfen. Dann bog ich um die Ecke und las gleich neben dem schmierigen und kaum lesbaren Schild „Wirtschaft"
5 deutlich und klar mit weißen Buchstaben auf blauem Grund „Hauptstraße". Wieder ein paar Häuser, die eine schiefe Front bildeten, zerbröckelnder Verputz,[6] und gegenüber lang und fensterlos die düstere Fabrikmauer wie eine Barriere vor dem Reich der Trostlosigkeit. Einfach meinem Gefühl nach[7]
10 ging ich links herum, aber da war der Ort plötzlich zu Ende; etwa zehn Meter weit lief noch die Mauer, dann begann ein flaches, grauschwarzes Feld mit einem kaum sichtbaren grünen Schimmer, das irgendwo mit dem grauen Horizont zusammenlief.

15 Links stand ein kleines, wie plattgedrücktes[8] Haus, wie es sich Arbeiter nach Feierabend[9] bauen; wankend, fast taumelnd bewegte ich mich darauf zu. Nachdem ich eine ärmliche und rührende Pforte durchschritten hatte,[10] die von einem kahlen Heckenrosenstrauch[11] überwachsen war, sah ich die
20 Nummer, und ich wußte, daß ich am Ziel war.

Die grünlichen Läden, deren Anstrich längst verwaschen war, waren fest geschlossen, wie zugeklebt[12]; das niedrige Dach, dessen Traufe ich mit der Hand erreichen konnte, war mit rostigen Blechplatten geflickt. Es war unsagbar still, jene
25 Stunde, wo die Dämmerung noch eine Atempause macht, ehe sie grau und unaufhaltsam über den Rand der Ferne quillt. Ich stockte einen Augenblick lang vor der Haustür, und ich wünschte mir, ich wäre gestorben, damals . . . anstatt nun hier zu stehen, um in dieses Haus zu treten. Als ich dann die

6. *Verputz* — plaster
7. *Einfach meinem Gefühl nach* — simply following my instincts
8. *plattgedrückt* — flattened, crushed flat
9. *nach Feierabend* — after working hours
10. *nachdem ich . . . durchschritten hatte* — after having stepped through a touchingly shabby gate
11. *Heckenrosenstrauch* — rambler rose bush
12. *wie zugeklebt* — as if glued together

Hand heben wollte, um zu klopfen, hörte ich drinnen ein girrendes Frauenlachen[13]; dieses rätselhafte Lachen, das je nach unserer Stimmung uns erleichtert oder uns das Herz zuschnürt. Jedenfalls konnte so nur eine Frau lachen, die nicht allein war, und wieder stockte ich, und das brennende, zerreißende Verlangen quoll in mir auf, mich hineinstürzen zu lassen in die graue Unendlichkeit des sinkenden Dämmers, die nun über dem weiten Feld hing und mich lockte, lockte . . . und mit meiner allerletzten Kraft pochte ich heftig gegen die Tür.

Erst war Schweigen, dann Flüstern — und Schritte, leise Schritte von Pantoffeln, und dann öffnete sich die Tür, und ich sah eine blonde, rosige Frau. Golden-rötlich brannte sie wie ein Licht vor mir auf in dieser Ewigkeit von Grau und Schwarz. Sie wich mit einem leisen Schrei zurück und hielt mit zitternden Händen die Tür, aber als ich meine Soldatenmütze abgenommen und mit heiserer Stimme gesagt hatte: „'n Abend",[14] löste sich der Krampf des Schreckens aus diesem merkwürdig formlosen Gesicht,[15] und sie lächelte beklommen und sagte „Ja". Im Hintergrund tauchte eine muskulöse, im Dämmer des kleinen Flures verschwimmende Männergestalt auf. „Ich möchte zu Frau Brink", sagte ich leise. „Ja", sagte die tonlose Stimme wieder, die Frau stieß nervös eine Tür auf. Die Männergestalt verschwand im Dunkeln. Ich betrat eine enge Stube, die mit ärmlichen Möbeln vollgepfropft[16] war und worin der Geruch von schlechtem Essen und sehr guten Zigaretten sich festgesetzt hatte. Ihre weiße Hand huschte zum Schalter, und als nun das Licht auf sie fiel, wirkte sie bleich und zerflossen, fast leichenhaft,[17] nur das helle, rötliche Haar war lebendig und warm. Der Blick ihrer

13. *ein girrendes Frauenlachen* — cooing feminine laughter
14. *'n Abend = guten Abend*
15. *löste sich . . . Gesicht* — the spasm of shock vanished from this strangely shapeless face
16. *vollgepfropft* — stuffed full
17. *wirkte sie . . . leichenhaft* — she appeared pale and lifeless, almost like a corpse

wässrigen blauen Augen war ängstlich und schreckhaft, als stehe sie, eines furchtbaren Urteils gewiß, vor Gericht. Selbst die billigen Drucke an den Wänden waren wie ausgehängte Anklagen.[18]

5 „Erschrecken Sie nicht", sagte ich gepreßt[19], und ich wußte im gleichen Augenblick, daß das der schlechteste Ausdruck war, den ich hatte wählen können, aber bevor ich fortfahren konnte, sagte sie seltsam ruhig: „Ich weiß alles, er ist tot . . . tot." Ich konnte nur nicken. Dann griff ich in meine 10 Tasche, um ihr die letzten Habseligkeiten[20] zu überreichen, aber im Flur rief eine brutale Stimme „Gitta!" Sie blickte mich verzweifelt an, dann riß sie die Tür auf und rief kreischend: „Warte fünf Minuten — verdammt — ", und krachend schlug die Tür wieder zu, und ich glaubte mir vorstellen zu 15 können, wie sich der Mann feige hinter den Ofen verkroch. Ihre Augen sahen trotzig, fast triumphierend zu mir auf.

Ich legte langsam den Trauring, die Uhr und das Soldbuch[21] mit den verschlissenen Photos auf die grüne samtene Tischdecke. Da schluchzte sie plötzlich wild und schrecklich. 20 Die Erinnerung schien sie wie mit tausend Schwertern zu durchschneiden. Da wußte ich, daß der Krieg niemals zu Ende sein würde, niemals, solange noch irgendwo eine Wunde blutet, die er geschlagen hat.

Ich warf alles, Ekel, Furcht und Trostlosigkeit, von mir ab 25 wie eine lächerliche Bürde und legte meine Hand auf die zuckende, üppige Schulter, und als sie nun das erstaunte Gesicht zu mir wandte, sah ich zum ersten Male in ihren Zügen Ähnlichkeit mit jenem Photo eines hübschen, liebevollen Mädchens, das ich wohl viele hundert Male hatte ansehen müssen, 30 damals . . .

„Wo war es — setzen Sie sich doch — im Osten?" Ich sah es

18. *ausgehängte Anklagen* — indictments made public
19. *gepreßt* — in a strained tone of voice
20. *Habseligkeiten* — effects, possessions
21. *Soldbuch* — soldier's pocket ledger, pay record

ihr an, daß sie jeden Augenblick wieder in Tränen ausbrechen würde.

„Nein . . . im Westen, in der Gefangenschaft . . . wir waren mehr als hunderttausend . . ."

„Und wann?" Ihr Blick war gespannt und wach und unheimlich lebendig, und ihr ganzes Gesicht war gestrafft und jung — als hinge ihr Leben an meiner Antwort. 5

„Im Juli 45", sagte ich leise.

Sie schien einen Augenblick zu überlegen, und dann lächelte sie — ganz rein und unschuldig, und ich erriet, warum sie lächelte. 10

Aber plötzlich war mir, als drohe das Haus über mir zusammenzubrechen, ich stand auf. Sie öffnete mir, ohne ein Wort zu sagen, die Tür und wollte sie mir aufhalten, aber ich wartete beharrlich, bis sie vor mir hinausgegangen war; und als sie mir ihre kleine, etwas feiste Hand gab, sagte sie mit einem trockenen Schluchzen: „Ich wußte es, ich wußte es, als ich ihn damals — es ist fast drei Jahre her — zum Bahnhof brachte", und dann setzte sie ganz leise hinzu: „Verachten Sie mich nicht." 15 20

Ich erschrak vor diesen Worten bis ins Herz — mein Gott, sah ich denn wie ein Richter aus? Und ehe sie es verhindern konnte, hatte ich diese kleine, weiche Hand geküßt, und es war das erstemal in meinem Leben, daß ich einer Frau die Hand küßte. 25

Draußen war es dunkel geworden, und wie in Angst gebannt[22] wartete ich noch einen Augenblick vor der verschlossenen Tür. Da hörte ich sie drinnen schluchzen, laut und wild, sie war an die Haustür gelehnt, nur durch die Dicke des Holzes von mir getrennt, und in diesem Augenblick wünschte ich wirklich, daß das Haus über ihr zusammenbrechen und sie begraben möchte. 30

Dann tastete ich mich langsam und unheimlich vorsichtig,

22. *wie in Angst gebannt* — transfixed with fear

denn ich fürchtete jeden Augenblick in einem Abgrund zu versinken, bis zum Bahnhof zurück. Kleine Lichter brannten in den Totenhäusern, und das ganze Nest[23] schien weit, weit vergrößert. Selbst hinter der schwarzen Mauer sah ich kleine Lampen, die unendlich große Höfe zu beleuchten schienen. Dicht und schwer war der Dämmer geworden, nebelhaft dunstig und undurchdringlich.

In der zugigen Wartehalle stand außer mir noch ein älteres Paar, fröstelnd in eine Ecke gedrückt. Ich wartete lange, die Hände in den Taschen und die Mütze über die Ohren gezogen, denn es zog kalt[24] von den Schienen her, und immer, immer tiefer sank die Nacht wie ein ungeheures Gewicht.

„Hätte man nur etwas mehr Brot und ein bißchen Tabak", murmelte hinter mir der Mann. Und immer wieder beugte ich mich vor, um in die sich ferne zwischen matten Lichtern verengende Parallele der Schienen zu blicken.

Aber dann wurde die Tür jäh aufgerissen, und der Mann mit der roten Mütze, diensteifrigen[25] Gesichts, schrie als ob er es in die Wartehalle eines großen Bahnhofs rufen müsse: „Personenzug nach Köln[26] fünfundneunzig Minuten Verspätung!"

Da war mir, als sei ich für mein ganzes Leben in Gefangenschaft geraten.

23. *Nest* — see footnote 1, p. 25.
24. *es zog kalt* — there was a cold draft
25. *diensteifrigen Gesichts* — with an officious expression on his face
26. *Personenzug nach Köln* — local train to Cologne

Erinnerungen eines jungen Königs

Als ich dreizehn Jahre alt war, wurde ich zum König von Capota[1] ausgerufen. Ich saß gerade in meinem Zimmer und war damit beschäftigt, aus einem „Nicht Genügend" unter einem Aufsatz das „Nicht" wegzuradieren. Mein Vater, Pig Gi I. von Capota, war für vier Wochen ins Gebirge zur Jagd, und ich sollte ihm meinen Aufsatz mit dem königlichen Eilkurier nachsenden. So rechnete ich mit der schlechten Beleuchtung in Jagdhütten und radierte eifrig, als ich plötzlich vor dem Palast heftiges Geschrei hörte: „Es lebe Pig Gi der Zweite!"

Kurz darauf kam mein Kammerdiener ins Zimmer gestürzt, warf sich auf der Türschwelle nieder und flüsterte hingebungsvoll: „Majestät geruhen[2] bitte, mir nicht nachzutragen, daß ich Majestät damals wegen Rauchens dem Herrn Ministerpräsidenten gemeldet habe."

Die Untertänigkeit des Kammerdieners war mir widerwärtig, ich wies ihn hinaus und radierte weiter. Mein Hauslehrer pflegte mit rotem Tintenstift zu zensieren. Ich hatte gerade ein Loch ins Heft radiert, als ich wieder unterbrochen wurde: der Ministerpräsident trat ein, kniete an der Tür nieder und rief: „Hoch, Pig Gi der Zweite, dreimal hoch!" Er setzte hinzu: „Majestät, das Volk wünscht Sie zu sehen."

Ich war sehr verwirrt, legte den Radiergummi beiseite,

1. *Capota* — fictitious kingdom
2. *geruhen* — to deign

klopfte mir den Schmutz von den Händen und fragte: „Warum wünscht das Volk mich zu sehen?"

„Weil Sie König sind."

„Seit wann?"

5 „Seit einer halben Stunde. Ihr allergnädigster Herr Vater wurde auf der Jagd von einem Rasac erschossen." [Rasac ist die Abkürzung für „Rasante Sadisten Capotas"].[3]

„O, diese Rasac!" rief ich. Dann folgte ich dem Ministerpräsidenten und zeigte mich vom Balkon aus dem Volk. Ich 10 lächelte, schwenkte die Arme und war sehr verwirrt.

Diese spontane Kundgebung dauerte zwei Stunden. Erst gegen Abend, als es dunkel wurde, zerstreute sich das Volk; als Fackelzug kam es einige Stunden später wieder am Palast vorbei.

15 Ich ging in meine Zimmer zurück, zerriß das Aufsatzheft und streute die Fetzen in den Innenhof des Königspalastes. Dort wurden sie — wie ich später erfuhr — von Andenkensammlern aufgehoben und in fremde Länder verkauft, wo man heute die Beweise meiner Schwächen in Rechtschreibung 20 unter Glas aufbewahrt.

Es folgten nun anstrengende Monate. Die Rasac versuchten zu putschen[4], wurden aber von den Misac [„Milde Sadisten Capotas"] und vom Heer unterdrückt. Mein Vater wurde beerdigt, und ich wurde in der Kathedrale von Capota ge- 25 krönt. Ich mußte an den Parlamentssitzungen teilnehmen und Gesetze unterschreiben — aber im großen Ganzen gefiel mir das Königtum, weil ich meinem Hauslehrer gegenüber nun andere Methoden anwenden konnte.

Fragte er mich im mündlichen Unterricht: „Geruhen Eure 30 Majestät, mir aufzusagen, welche Regeln es bezüglich der Behandlung unechter Brüche[5] gibt?" Dann sagte ich: „Nein, ich geruhe nicht", und er konnte nichts machen. Sagte er:

3. *Rasante Sadisten Capotas* — Raging Sadists of Capota
4. *putschen* — to stage a revolt
5. *unechte Brüche* — improper fractions

„Würden Eure Majestät es untragbar finden, wenn ich Ihre Majestät bäte, mir — etwa drei Seiten lang — aufzuschreiben, welches die Motive des Tell[6] waren, als er Geßler ermordete?" Dann sagte ich: „Ja, ich würde es untragbar finden", — und ich forderte ihn auf, mir die Motive des Tell aufzuzählen! 5

So erlangte ich fast mühelos eine gewisse Bildung, verbrannte sämtliche Schulbücher und Hefte und gab mich meinen eigentlichen Leidenschaften hin, ich spielte Ball, warf mit meinem Taschenmesser nach der Türfüllung, las Kriminalromane und hielt lange Konferenzen ab mit dem Leiter des 10 Hofkinos. Ich ordnete an, daß alle meine Lieblings-Filme angeschafft würden und trat im Parlament für eine Schulreform ein.

Es war eine herrliche Zeit, obwohl mich die Parlamentssitzungen ermüdeten. Es gelang mir, nach außen hin[7] den 15 schwermütigen jugendlichen König zu markieren[8], und ich verließ mich ganz auf den Ministerpräsidenten Pelzer, der ein Freund meines Vaters und ein Vetter meiner verstorbenen Mutter gewesen war.

Aber nach drei Monaten forderte Pelzer mich auf, zu heira- 20 ten. Er sagte: „Sie müssen dem Volke Vorbild sein, Majestät." Vor dem Heiraten hatte ich keine Angst, schlimm war nur, daß Pelzer mir seine elfjährige Tochter Jadwiga antrug, ein dünnes kleines Mädchen, das ich oft im Hof Ball spielen sah. Sie galt als doof[9], machte schon zum zweiten Male die fünfte 25 Klasse durch, war blaß und sah tückisch aus. Ich bat mir von Pelzer Bedenkzeit aus, wurde nun wirklich schwermütig, lag stundenlang im Fenster meines Zimmers und sah Jadwiga zu, die Ball oder Hüpfen[10] spielte. Sie war etwas netter angezogen, blickte hin und wieder zu mir hinauf und lächelte. Aber ihr 30 Lächeln kam mir künstlich vor.

6. *Tell* — Wilhelm Tell — reference to Schiller's play
7. *nach außen hin* — in the eyes of the public
8. *markieren* — play
9. *doof* — (*colloquial*) a dope, dopey
10. *Hüpfen* — hop scotch

Als die Bedenkzeit um war, trat Pelzer in Galauniform vor mich: er war ein mächtiger Mann mit gelbem Gesicht, schwarzem Bart und funkelnden Augen. „Geruhen Eure Majestät", sagte er, „mir ihre Entscheidung mitzuteilen. Hat mein Kind
5 Gnade[11] vor Ihrer Majestät Augen gefunden?" Als ich schlankweg[12] „Nein" sagte, geschah etwas Schreckliches: Pelzer riß sich die Epauletten von der Schulter, die Tressen von der Brust, warf mir sein Portefeuille[13] — es war aus Kunstleder — vor die Füße, raufte sich den Bart und schrie: „Das
10 also ist die Dankbarkeit capotischer Könige!"

Ich war in einer peinlichen Situation. Ohne Pelzer war ich verloren. Kurz entschlossen sagte ich: „Ich bitte Sie um Jadwigas Hand."

Pelzer stürzte vor mir nieder, küßte mir inbrünstig die
15 Fußspitzen, hob Epauletten, Tressen und das Portefeuille aus Kunstleder wieder auf.

Wir wurden in der Kathedrale von Huldebach[14] getraut. Das Volk bekam Bier und Wurst, es gab pro Kopf acht Zigaretten und auf meine persönliche Anregung hin zwei Frei-
20 fahrscheine für die Karussells; acht Tage lang umbrandete Lärm den Palast.

Ich half nun Jadwiga bei den Aufgaben, wir spielten Ball, spielten Hüpfen, ritten gemeinsam aus, und bestellten uns, sooft wir Lust hatten, Marzipan aus der Hofkonditorei[15] oder
25 gingen ins Hofkino. Das Königtum gefiel mir immer noch — aber ein schwerer Zwischenfall beendete endgültig meine Karriere.

Als ich vierzehn wurde, wurde ich zum Oberst und Kommandeur des 8. Reiterregiments ernannt. Jadwiga wurde Ma-
30 jor. Wir mußten hin und wieder die Front[16] des Regiments

11. *Gnade finden* — to find favor
12. *schlankweg* — right away
13. *Portefeuille* — portfolio
14. *Huldebach* — fictitious town
15. *Hofkonditorei* — royal pastry shop
16. *die Front abreiten* — to hold review

abreiten, an Kasinoabenden[17] teilnehmen und an jedem hohen Feiertage Orden an die Brust verdienter Soldaten heften. Ich selbst bekam eine Menge Orden. Aber dann geschah die Geschichte mit Poskopek.

Poskopek war ein Soldat der vierten Schwadron meines Regiments, der an einem Sonntagabend desertierte, um einer Zirkusreiterin über die Landesgrenze zu folgen. Er wurde gefangen, in Arrest gebracht und von einem Kriegsgericht zum Tode verurteilt. Ich sollte als Regimentskommandeur das Urteil unterschreiben, aber ich schrieb einfach darunter: Wird zu vierzehn Tagen Arrest begnadigt, Pig Gi II.

Diese Notiz hatte schreckliche Folgen: Die Offiziere meines Regiments rissen sich alle ihre Epauletten von der Schulter, die Tressen und Orden von der Brust und ließen sie von einem jungen Leutnant in meinem Zimmer zerstreuen. Die ganze capotische Armee schloß sich der Meuterei an, und am Abend des Tages war mein ganzes Zimmer mit Epauletten, Tressen und Orden angefüllt: es sah schrecklich aus.

Zwar jubelte das Volk mir zu, aber in der Nacht schon verkündete mir Pelzer, daß die ganze Armee zu den Rasac übergegangen sei. Es knallte, es schoß, und das wilde Hämmern[18] von Maschinengewehren zerriß die Stille um den Palast. Zwar hatten die Misac mir eine Leibwache geschickt, aber Pelzer ging im Laufe der Nacht zu den Rasac über, und ich war gezwungen, mit Jadwiga zu fliehen. Wir rafften Kleider, Banknoten und Schmuck zusammen, die Misac requirierten[19] eine Taxe, wir erreichten mit knapper Not den Grenzbahnhof des Nachbarlandes, sanken erschöpft in ein Schlafwagenabteil zweiter Klasse und fuhren westwärts.

Über die Grenze Capotas herüber erklang Geknalle, wildes Geschrei, die ganze schreckliche Musik des Aufruhrs.

Wir fuhren vier Tage und stiegen in einer Stadt aus, die

17. *Kasinoabende* — evenings at the officers' club
18. *Hämmern* — sputter, chatter
19. *requirieren* — to requisition

Wickelheim hieß: Wickelheim — dunkle Errinerungen aus meinem Geographieunterricht sagten es mir — war die Hauptstadt des Nachbarlandes.

Inzwischen hatten Jadwiga und ich Dinge kennengelernt, 5 die wir zu schätzen begannen: den Geruch der Eisenbahn, bitter und würzig, den Geschmack von Würstchen auf wildfremden Bahnhöfen; ich durfte rauchen, soviel ich wollte, und Jadwiga begann aufzublühen, weil sie von der Last der Schulaufgaben befreit war.

10 Am zweiten Tage unseres Aufenthaltes in Wickelheim wurden überall Plakate aufgeklebt, die unsere Aufmerksamkeit erregten: „ZIRKUS HUNKE — die berühmte Reiterin Hula mit ihrem Partner Jürgen Poskopek." Jadwiga war ganz aufgeregt, sie sagte: „Pig Gi, denke an unsere Existenz, Posko- 15 pek wird dir helfen."

In unserem Hotel kam stündlich ein Telegramm aus Capota an, das den Sieg der Misac verkündete, die Erschießung Pelzers, eine Reorganisation des Militärs. Der neue Ministerpräsident — er hieß Schmidt und war Anführer der Misac — 20 bat mich zurückzukehren, die stählerne Krone der Könige von Capota aus den Händen des Volkes wieder aufzunehmen.

Einige Tage lang zögerte ich, aber letzten Endes siegte doch Jadwigas Angst vor den Schulaufgaben, ich ging zum Zirkus Hunke, fragte nach Poskopek und wurde von ihm mit stür- 25 mischer Freude begrüßt: „Retter meines Lebens", rief er in der Tür seines Wohnwagens[20] stehend, aus, „was kann ich für Sie tun?" „Verschaffen Sie mir eine Existenz", sagte ich schlicht.

Poskopek war rührend: er verwandte[21] sich für mich bei 30 Herrn Hunke, und ich verkaufte zuerst Limonade, dann Zigaretten, später Goulasch im Zirkus Hunke. Ich bekam einen Wohnwagen und wurde nach kurzer Frist Kassierer. Ich nahm den Namen Tückes an, Wilhelm Tückes, und wurde seitdem mit Telegrammen aus Capota verschont.

20. *Wohnwagen* — Gypsy wagon, trailer
21. *sich verwenden für* — to put in a word for

Man hält mich für tot, für verschollen, während ich mit der immer mehr aufblühenden Jadwiga im Wohnwagen des Zirkus Hunke die Lande durchziehe. Ich rieche fremde Länder, sehe sie, erfreue mich des großen Vertrauens, das Herr Hunke mir entgegenbringt. Und wenn nicht Poskopek mich hin und wieder besuchte und mir von Capota erzählte, wenn nicht Hula, die schöne Reiterin, seine Frau, mir immer wieder versicherte, daß ihr Mann mir sein Leben verdankt, dann würde ich überhaupt nicht mehr daran denken, daß ich einmal König war.

Aber neulich habe ich einen wirklichen Beweis meines früheren königlichen Lebens entdeckt. Wir hatten ein Gastspiel in Madrid, und ich schlenderte morgens mit Jadwiga durch die Stadt, als ein großes graues Gebäude mit der Aufschrift „National Museum" unsere Aufmerksamkeit erregte. „Laß uns dort hineingehen", sagte Jadwiga, und wir gingen hinein in dieses Museum, in einen der großen abgelegenen Säle, über dem ein Schild „Handschriftenkunde"[22] hing.

Ahnunglos sahen wir uns die Handschriften verschiedener Staatspräsidenten und Könige an, bis wir an einen Glaskasten kamen, auf dem ein schmaler weißer Zettel klebte: „Königreich Capota, seit zwei Jahren Republik." Ich sah die Handschrift meines Großvaters Wuck XL., ein Stück aus dem berühmten Capotischen Manifest, das er eigenhändig verfaßt hatte, ich fand ein Notizblatt aus den Jagdtagebüchern meines Vaters — und schließlich einen Fetzen aus meinem Schulheft, ein Stück schmutzigen Papiers, auf dem ich las: Rehgen bringt Sehgen[23]. Beschämt wandte ich mich Jadwiga zu, aber sie lächelte nur und sagte: „Das hast du nun hinter dir, für immer."

Wir verließen schnell das Museum, denn es war ein Uhr geworden, um drei fing die Vorstellung an, und ich mußte um zwei die Kasse eröffnen.

22. *Handschriftenkunde* — Manuscript Room; *lit.*, graphology
23. *Rehgen bringt Sehgen* — misspelled proverb *Regen bringt Segen*

Fragen

AN DER BRÜCKE

1. Welchen Posten bekommt der Verwundete, nachdem sie ihm die Beine geflickt haben?
2. Was macht ihm Freude beim Zählen?
3. Wann setzt das Ticken seines Herzens plötzlich aus?
4. Warum will er die Geliebte nicht zählen?
5. Mit welcher Stelle wird der Oberstatistiker ihn am Ende vielleicht belohnen?

ABENTEUER EINES BROTBEUTELS

1. Aus was für einem Dorf kommt Stobski?
2. Wohin schickt die Armee den Soldaten Stobski?
3. Was tut er während der Schlacht, als ihm die Füße weh tun?
4. Wovon träumt er vor seinem Tode?
5. Was schreibt Hauptmann Hummel an Stobskis Mutter?
6. Wohin wandert der Brotbeutel mit Wilkins Grayhead?
7. Was geschieht mit Wilkins Grayhead nach der Entlassung aus der Armee?
8. Wie lange und bei wem bleibt der Brotbeutel in Soho?
9. Wohin geht seine nächste Reise?
10. Zu was für einer Erkenntnis kommt ein südamerikanischer Staat?
11. Was findet der nächste Besitzer noch im Brotbeutel?
12. Wann trug Wilhelm Habke den Brotbeutel?
13. Welche Dinge bewahrte Walter Habke im Brotbeutel auf?
14. Was ist für das Heldentum schädlich?
15. Wer ist der junge Banollo, der das Wohnzimmer der Habkes in Spandau bombardiert hat?

16. Was war inzwischen mit Niestronno geschehen?
17. Wie sieht das Zimmer von Stobskis Mutter aus?
18. Was für Gefangene ziehen an den Leuten in Niestronno vorbei?
19. Was tut Frau Stobski, als sie einen jungen Soldaten tot vor ihrer Türe findet?
20. Was hätte sie im Brotbeutel gefunden, wenn sie ihn weiter aufgeschlagen hätte?

AUCH KINDER SIND ZIVILISTEN

1. Warum will der Verwundete aus dem Spital hinaus?
2. Aus welchem Grund läßt der Posten das Mädchen nicht herein?
3. Was für verschiedene Kuchen hat das Mädchen zum Verkaufen?
4. Warum will der Verwundete sie alle kaufen?
5. Was für eine Stimmung geht von der Geschichte aus?

MEIN TEURES BEIN

1. Welche Chance gibt das Amt dem Verwundeten?
2. Warum will er die Stelle nicht annehmen?
3. Was möchte er von dem Amt haben?
4. Warum findet der Beamte, daß es ein teures Bein ist?
5. Wieso verdanken der General, der Major und der Oberst dem Verwundeten ihr Leben?

DIE BOTSCHAFT

1. Wie beschreibt Böll den Ort, in dem unsere Geschichte spielt?
2. Was für einen Eindruck machen die Backsteinhäuser auf unseren Erzähler?
3. Wie reagiert Frau Brink, als sie ihn sieht?
4. Wie sieht Frau Brinks Stube aus?
5. Warum sind seine ersten Worte schlecht gewählt?
6. Welche Habseligkeiten legt der Soldat auf die Tischdecke?
7. Wann und wo ist Frau Brinks Mann gefallen?

8. Was sagt sie beim Abschied?
9. Wie sieht der Ort am Abend aus?
10. Was für ein Gefühl hat unser Soldat, als er hört, daß der Personenzug fünfundneunzig Minuten Verspätung hat?

ERINNERUNGEN EINES JUNGEN KÖNIGS

1. Wie heißt das phantastische Königreich, dessen König Pig Gi II. ist?
2. Was radiert der Sohn unter seinem Aufsatz?
3. Warum gefällt ihm das neue Königtum?
4. Was waren die wirklichen Leidenschaften des Königs?
5. Wer ist Pelzer?
6. Was hielt Pig Gi II. von Jadwiga?
7. Was aßen der König und seine Frau besonders gerne in der Konditorei?
8. Warum sollte Poskopek zum Tode verurteilt werden?
9. Was für ein Urteil schreibt der König?
10. Was entscheidet den Bürgerkrieg zwischen Rasac und Misac?
11. Welche neuen Dinge gefallen dem König und Jadwiga im Nachbarland?
12. Warum gingen die beiden nicht nach Capota zurück?
13. Was arbeitet der König im Zirkus?
14. Wieso erreichen ihn keine Telegramme aus Capota mehr?
15. Was sahen der König und Jadwiga im Saal mit dem Schild „Handschriftenkunde"?

Vocabulary

ab off, down
das **Abenteuer, –** adventure
ab•fahren, u, a depart
abgelegen remote
der **Abgrund, ¨e** abyss
ab•halten, ie, a prevent
die **Abkürzung, –en** abbreviation
ab•laufen, ie, au run off
ab•nehmen, a, o take off
abscheulich disgusting
der **Abschied** departure; discharge. — **nehmen** depart, take leave, resign
das **Abteil, –e** compartment
der **Abzug, ¨** trigger
der **Acker, ¨** field
ahnen to suspect
die **Ähnlichkeit, –en** similarity
ahnungslos unsuspecting
die **Allee, –n** avenue
allergnädigster most gracious
allerletzt last (of all), very last
ältlich elderly
der **Altwarenhändler, –** second-hand dealer, junk dealer
das **Amt, ¨er** government office
an•blicken look at
der **Andenkensammler, –** souvenir hunter
ander- other
die **Andeutung, –en** hint
der **Anführer, –** leader, chief
an•füllen to fill up
an•geben, a, e to report
die **Angst, ¨e** fear, anxiety. **ängstlich** fearful, anxious
an•hören sound
an•kommen, a, o arrive
an•nehmen, a, o suppose, assume; accept
an•ordnen direct
die **Anregung, –en** suggestion
an•schaffen, u, a acquire
an•schauen look at
an•schließen, o, o join
an•sehen, a, e look at, look up, tell by looking
anstatt instead of
anstrengend strenuous
der **Anstrich, –e** paint
an•tragen, u, a suggest, offer
an•wenden, a, e apply
das **Anwesen, –** property
sich **an•ziehen, o, o** dress
der **Anzug, ¨e** suit
die **Apfelsine, –n** orange
der **Appell, –e** roll-call
der **Ärmel, –** sleeve
ärmlich shabby. **armselig** pitiful
die **Art, –en** kind, type, manner
ästhetisch esthetic
der **Atem** breath
auf•bewahren keep, preserve
auf•blühen bloom
auf•brennen, a, a flare up
der **Aufenthalt, –e** stay
auf•fallen, ie, a be conspicuous, strike
auf•fordern challenge, order, demand, ask
die **Aufgabe, –n** job, lesson, task
auf•halten, ie, a stop; hold open
auf•hängen, i, a hang up
auf•heben, o, o pick up, lift, keep
auf•kleben paste on, put up
auf•leuchten light up, gleam, sparkle
aufmerksam attentive. die **Aufmerksamkeit, –en** attention
auf•nehmen, a, o take up, accept
auf•passen pay attention, listen
auf•quellen, o, o well up
auf•regen to excite
auf•reißen, i, i tear open
der **Aufruhr, –e** uproar, rebellion
auf•sagen recite
der **Aufsatz, ¨e** essay. das **Aufsatzheft, –e** notebook
auf•schlagen, u, a open, open up
auf•schneiden, i, i brag
die **Aufschrift, –en** inscription
auf•sehen, a, e look up
auf•stehen, a, a get up
auf•stoßen, ie, o push open

auf·tauchen emerge, appear
auf·zählen enumerate
der **Augenblick, –e** moment, instant
aus·bilden train
aus·bitten, a, e request
der **Ausdruck, –̈e** expression
ausführlich in detail
die **Auskunft, –̈e** information
aus·laden, u, a unload
das **Ausmaß, –e** extent
aus·rechnen figure out
aus·reichen be sufficient
aus·rufen, ie, u exclaim, proclaim
aus·schwärmen spread out
aus·sehen, a, e look, appear
außer beside, besides. **außerdem** besides, moreover, in addition
aus·setzen set out, stop
aus·steigen, ie, ie get out, get off
aus·stellen issue, exhibit

backen, buk or **backte, a** bake.
das **Backsteinhaus, –̈er** brick house. die **Backsteinkaserne, –n** brick barracks
der **Bahnhof, –̈e** railroad station
der **Bahnübergang, –̈e** railroad crossing
der **Bart, –̈e** beard
der **Bauch, –̈e** belly, bowels
bauen build
bäuerlich peasant
der **Beamte, –n, –n** official
beantragen propose
bedecken cover
das **Bedenken, –** reservation. die **Bedenkzeit, –en** time to think over something
s. **bedienen** utilize
bedrohen threaten. die **Bedrohung, –en** threat
bedürfen need. die **Bedürfnisanstalt, –en** comfort station
beenden finish
beerdigen bury, inter
befallen, ie, a befall, overcome
der Befehl, –e order, command
befreien free, liberate
befriedigen satisfy
begnadigen pardon
begraben, u, a bury
begrüßen greet
die **Behandlung, –en** treatment, use
beharrlich determined, persistent
beherrschen master
das **Bein, –e** leg
beiseite to one side
beklagen complain about, bemoan
beklommen anxious, uneasy
bekommen, a, o get, receive. **geschickt —** receive by mail. die Wut — get furious
belegen prove
beleuchten illuminate. die **Beleuchtung, –en** light, lighting
belgisch Belgian
bemerken notice, note
berauben rob
s. **berauschen** become intoxicated, get carried away
die **Berechnung, –en** calculation
berechtigt legitimate
bereits already, previously
berichten report
der **Beruf, –e** profession, vocation, calling
berühmt famous
beschäftigen occupy
beschämt ashamed
beschließen, o, o decide
beschreiben, ie, ie describe
der **Besitz, –e** possession
besonders especially, particularly
der **Bestand, –̈e** stock, state
bestehen, a, a come through
bestellen order, cultivate
besuchen visit
beten pray
betrachten gaze at
betreten, a, e enter
die **Beute, –n** booty
der **Beutel, –** bag, handbag
bevor before, previous to
s. **bewegen** move
der **Beweis, –e** proof, evidence
bewohnen inhabit
bezahlen pay
beziehen, o, o draw
bezüglich with reference to, concerning
die **Biederkeit** honesty, integrity
biegen, o, o bend, turn
bilden form. die **Bildung** education
billig cheap
bis up to, until. **— auf** except for
bißchen a little, a bit
bitte please. **bitten, a, e** ask, beg, implore
s. **blähen** puff up
blaß pale
die **Blechplatte, –n** tin pieces
bleich pale
der **Blick, –e** glance, gaze. **blicken** look
blühen blossom, be in good health
das **Blut** blood. **bluten** bleed
das **Bombenflugzeug, –e** bomber
die **Botschaft, –en** message

brauchen use, need
brennen, a, a burn
der **Briefkopf, ⸚e** letterhead
die **Brücke, –n** bridge
die **Brust, ⸚e** breast, chest
brüten brood
der **Buchstabe, –n** letter
s. **bücken** stoop
das **Bündel, –** bundle
die **Bürde, –n** burden
der **Bürgerkrieg, –e** civil war
bürsten brush
die **Buttercremeschnitte, –n** pastry made with butter cream

dabei near-by
das **Dach, ⸚er** roof
damals at that time
der **Dämmer** dusk, gloom
die **Dämmerung** twilight
danach after that
dankbar grateful. die **Dankbarkeit** gratitude
darauf thereupon, afterwards
darin in it
dauern last
die **Dauerwurst, ⸚e** salami, cervelat
davon from that
dazu in addition. **dazu-tun, a, a** add. **dazu-zählen** add
dazwischen in between
der **Deckel, –** cover
defilieren file by
s. **denken, a, a** imagine
derlei such
desertieren desert
deshalb therefore, for that reason
deutlich clear
dick fat, big. die **Dicke** thickness
dienen serve. die **Dienstauffassung, –en** sense of military duty. die **Dienstvorschrift, –en** official order
der **Drang** urge
draußen outside
der **Dreck** dirt
dreiviertel three-quarter
drin = darin, drinnen inside, within
drohen to threaten
drüben over there
der **Druck, –e** print
drücken press, squeeze, pull (the trigger)
s. **drücken** play hooky, sneak away
die **Dunkelheit, –en** darkness
dünn thin
dunstig hazy, misty
durch-machen go through
durch-schneiden, i, i pierce
der **Durchschnitt** average. **durchschnittlich** on the average
durchsuchen search through, hunt through
durchziehen, o, o to travel through
düster dark, gloomy

eben just
die **Ecke, –n** corner
ehe before, ere
die **Ehre, –n** honor. **ehrenwert** honorable
das **Ei, –er** egg
eifrig zealous, eager
eigen own
eigenhändig with one's own hands
eigentlich actual, real
eilig hurried. **es — haben** be in a hurry
der **Eilkurier, –e** express messenger
ein•biegen, o, o turn into
der **Eindruck, ⸚e** impression
einfach simple
ein•füllen add
ein•gehen, i, a enter
ein•hüllen wrap, envelop
einige some, several, a few
das **Einkommen** income
die **Einkunft, ⸚e** income
einmal once. **nicht —** not even
ein•richten establish, furnish
ein•schenken pour
ein•schieben, o, o insert
ein•schlafen, ie, a fall asleep
ein•sehen, a, e understand, realize
ein•setzen put to use, utilize
einst once (upon a time), some day, at some future time
ein•treten, a, e enter, stand up for, support
ein•verleiben incorporate
ein•ziehen, o, o draft, conscript
einzig single, only
die **Eisdiele, –n** ice-cream parlor
die **Eisenbahn, –en** railroad
der **Ekel** disgust
empfinden, a, u feel
s. **empor•dienen** work one's way up (in the ranks)
endgültig final
endlich at last, finally
eng narrow
entdecken discover
entfallen, ie, a slip one's mind
entfernt away
entgegen•bringen, a, a offer, extend
entgegen•heben, o, o lift towards
entgegen•nehmen, a, o accept

enthalten, ie, a contain
die **Entlassung, –en** discharge
die **Entscheidung, –en** decision
s. **entschließen, o, o** decide. **kurz entschlossen** promptly
entschuldigen pardon, excuse
s. **entsinnen, a, o** remember, recall
entsteigen, ie, ie leave, get out of
entzücken charm
entzünden light
erfahren, u, a learn, discover
die **Erfindung, –en** invention
s. **erfreuen** enjoy
ergeben (*participle*): dem **Trunke** — addicted to drinking
das **Ergebnis, –se** result
erhalten, ie, a receive
die **Erinnerung, –en** memory, reminiscence, recollection
die **Erkenntnis, –se** realization, recognition
erklären to explain
erklingen, a, u sound, resound
erlangen attain
erleichtern relieve. die **Erleichterung, –en** relief
erleuchten illuminate, light
ermorden murder
ermüden tire
ernennen, a, a name, appoint
erobern conquer
eröffnen open
erraten, ie, a guess
erregen excite, attract
erreichen reach
erscheinen, ie, ie seem
erschießen, o, o shoot and kill. die **Erschießung, –en** execution
erschöpfen exhaust
erschrecken frighten
erschrecken, a, o be frightened
ersetzen replace
erst first, only. **jetzt** — only now. **das erstemal** the first time
erwachen (a)wake
erwecken awaken, rouse
erwidern reply
erzielen achieve
ethnisch ethnical
etwa about
ewig eternal. die **Ewigkeit, –en** eternity

der **Fackelzug, ⸚e** torchlight procession
das **Fahrrad, ⸚er** bicycle
die **Fahrt, –en** journey, trip, ride
fangen, i, a catch, capture
fast almost
der **Feiertag, –e** holiday
feige cowardly
feil•halten, ie, a offer for sale
feist fleshy
der **Feldwebel** sergeant-major
der **Feldweg, –e** country road
die **Fensterbank, ⸚e** window sill. **fensterlos** windowless
fern(e) distant
fertig done, finished
fest firm
fetten grease
der **Fetzen, –** scrap
das **Feuer, –** fire
finden, a, u find
finster dark, black
flach flat. **flachdachig** flat-roofed
flackern flicker
flicken mend, patch, repair
fliehen, o, o flee
die **Fliese, –n** tile, flagstone
flink swift, nimble
die **Flocke, –n** flake
fluchen curse, swear
flüchtig light, slight
der **Flur** hallway
flüstern whisper
die **Folge, –n** result, consequence. **folgen** follow, obey
fördern further. **zu Tage** — unearth, uncover
förmlich literally, actually
fort•fahren, u, a continue
die **Fracht, –en** freight, load, shipment
der **Freifahrschein, –e** free ticket, pass
fremd strange, foreign
fressen, a, e eat (ravenously)
die **Freude, –n** joy. **freudig** joyful
die **Frist, –en** interval
froh happy
fröstelnd shivering
der **Führer, –** leader. die **Führung** leadership
fünfstellig five-digit
funkeln sparkle, flash
die **Furcht** fear. **furchtbar** terrible. s. **fürchten** be afraid
die **Fußspitze, –n** tip of the foot
füttern feed

ganz entire, complete. **im großen Ganzen** on the whole
gar done
die **Gardine, –n** curtain
das **Gastspiel, –e** guest engagement
gebären, a, o give birth to
das **Gebäude, –** building

das **Gebetbuch, ⸚er** prayer book
das **Gebirge, –** mountain
gedeihen, ie, ie prosper, thrive
gedenken (*with gen.*), **a, a** remember, be mindful (of)
geduldig patient
der **Gefangene, –n** prisoner. die **Gefangenschaft** imprisonment, prison. **in — geraten** fall into captivity. das **Gefängnis, –se** prison
der **Gefreite, –n** private first class
das **Gefühl, –e** feeling, sensation
gegen against, in return for, toward
der **Gegenstand, ⸚e** object
gegenüber opposite, with respect to, toward
das **Gehirn, –e** brain
der **Gehsteig, –e** sidewalk
das **Geknalle** firing, shooting
gelangen reach
gelblich yellowish
der *or* die **Geliebte, –n** beloved, darling
gelingen, a, u succeed
gelten, a, o be considered
der **Gemeine, –n** private
gemeinsam together
gemütlich cozy
genau exact, precise. **genauso** just as
genügend sufficient, satisfactory
das **Gepäck** pack, luggage
gerade just, straight
geraten, ie, a come by chance
das **Gericht, –e** court
gering slight
der **Geruch, ⸚e** odor
gesamt total, complete
der **Geschmack, ⸚en** taste
das **Geschrei** shouting
das **Gesetz, –e** law
gespannt tense
gestrafft tight
das **Getrappel** tramping
das **Gewehr, –e** gun, rifle. der **Gewehrteil, –e** part of a rifle
das **Gewicht, –e** weight
der **Gewinn, –e** profit
gewiß certain
das **Gewitter, –** thunderstorm. **gewitterartig** like thunder
das **Gewölbe, –** vaulted room
gießen, o, o pour
glänzen shine, gleam
der **Glaskasten, ⸚** glass case
gleich same, like. **gleichfalls** likewise. **gleichgültig** indifferent, unconcerned
das **Glück** happiness, luck. **glücklich** happy, lucky
der **Gottesdienst, –e** church service
die **Gravüre, –n** engraving
greifen, i, i grasp, reach
der **Grenzbahnhof, ⸚e** border station. die **Grenze, –n** border
grinsen grin
grob coarse, rough
grollen grumble, rumble
großartig magnificent
die **Großzügigkeit** generosity
der **Grund, ⸚e** reason; ground, background. **auf Grund** on account of
grünlich greenish
der **Guß, ⸚e** pouring. **mit einem —** with one motion

der **Haken, –** hook
der **Hals, ⸚e** throat, neck
halten, ie, a hold, keep. **halten für** consider. **s. halten** stay
das **Handgeld, –er** hand-out, remuneration. die **Handgranate, –n** hand grenade. die **Handschrift, –en** manuscript, handwriting. das **Handwerk** job, craft
hängen hang
häßlich ugly
der **Haufen, –** pile, heap. **über den — werfen** throw into confusion, confound. **häufen** pile, heap. **häufig** often, frequently
der **Hauptmann** captain. die **Hauptstadt, ⸚e** capital. die **Hauptstraße, –n** main street
der **Hauslehrer, –** tutor
heben, o, o raise
das **Heer, –e** army
der **Hefekringel, –** roll made of yeast dough (similar to a doughnut)
heften fix, place
heftig violent
die **Heide** heath, moor
heimatlich native
das **Heimweh** homesickness
heiraten marry
heiser hoarse
der **Held, –en** hero. **heldenhaft** heroic. der **Heldenmut** heroism. das **Heldentum** heroism
hell light, bright
herrlich splendid, wonderful
herum around
hilfesuchend seeking help
der **Himmel, –** sky
hin: — und wieder once in a while, on and off
hinauf up

hinaus•reichen hand out
hinaus•weisen, ie, ie order out, show out
hinein•laufen, ie, au run in
hinein•löffeln spoon in
hinein•stürzen plunge in
hinein•ziehen, o, o draw in, pull in
hin•geben, a, e give way, surrender. **hingebungsvoll** devoted
hinten to the rear, in the rear. der **Hintergrund, ¨–e** background. das **Hinterzimmer, –** back room
hinunter down
s. **hinunter•beugen** bend down
hinunter•spülen wash down
hinwiederum again, in turn
hinzu•setzen add
hinzu•zählen add
hoch high. **hoch der König** long live the king. **höchst** highly; at best, at most. **hochtönend** high-sounding
hocken squat, sit, hang around
der **Hof, ¨–e** court, court yard, yard, farm
hoffnungslos hopeless. die **Hoffnungslosigkeit** hopelessness
das **Hofkino, –s** court movie theater
holen go and get, fetch
höllisch infernal, fierce, intense
das **Holz, ¨–er** wood
hübsch pretty
hüpfen hop
die **Hürde, –n** hurdle; pen
huschen glide swiftly

inbrünstig fervent
indem while, in that
der **Infanterist, –en** infantryman
der **Inhalt, –e** content
der **Innenhof, ¨–e** inner court
die **Innenseite, –n** inside
die **Innigkeit** sincerity
die **Insel, –n** island
insgeheim secretly
die **Instruktionsstunde, –n** hour of (military) instruction
das **Interesse, –n** interest
inzwischen in the meantime
irgend: — etwas something or other. **irgendwie** somehow, somewhat. **irgendwo** somewhere. **irgendwohin** somewhere or other
der **Irrtum, ¨–er** error

die **Jagd, –en** hunt, chase. die **Jagdhütte, –n** hunting lodge. das **Jagdtagebuch, ¨–er** hunting diary
jäh sudden, abrupt
je ever. **— nach** according to. **— näher** the closer. **— höher, umso mehr** the higher, the more
jedenfalls in any case
jugendlich youthful

kahl barren, leafless
der **Kammerdiener, –** valet
die **Kanone, –n** canon, big gun
die **Karriere, –n** career
die **Karteikarte, –n** file card
die **Kartoffel, –n** potato
die **Kasse, –n** box office. der **Kassierer, –** cashier
kaum hardly, merely
der **Keks, –e** cookie
kennen•lernen become acquainted with; get to know. die **Kenntnis, –se** knowledge
kerngesund completely healthy
der **Kilometerzähler, –** mileage indicator
der **Kirchturm, ¨–e** church spire
die **Klappe, –n** flap
kleben paste
das **Kleid, –er** dress; (*pl.*) clothes
klingen, a, u sound, resound
klopfen knock, pat, brush, beat
der **Knall** report, crack. **knallen** fire (at), bang, crack
knapp tight, narrow. **mit knapper Not** just barely
der **Kneifer, –** pince-nez
die **Kneipe, –n** inn
kneten knead, soften
knie(e)n knee
knusperig crisp
das **Kochgeschirr, –e** cooking utensil, tin plate
die **Kolonne, –n** column
das **Kommando, –s** command
königlich royal, regal. das **Königreich, –e** kingdom. das **Königtum, ¨–er** kingdom; kingship
konstitutionell constitutional
kontrollieren check up on
der **Kopf ¨–e** head. **pro Kopf** per capita
kopfschüttelnd with a headshake, with a shrug. der **Kopfverband, ¨–e** head-bandage
der **Korb ¨–e** basket
kosten cost; taste, sample. **kostenlos** free
kotbraun dirty brown
krachend with a crash
die **Kraft, ¨–e** strength, power
der **Kram** lot, batch

kreischend shrill, shrieking
kreisen circle
der **Krieg, –e** war. **kriegerisch** warlike, martial. das **Kriegsgericht, –e** court-martial
der **Kriminalroman, –e** detective story
kritzeln engrave, scribble
die **Krone, –n** crown. **krönen** crown
der **Krümel, –** crumb
die **Küche, –n** kitchen. der **Kuchen, –** cake
die **Kugel, –n** bullet
die **Kuh, ⸚e** cow. der **Kuhdung** cow dung
der **Kummer** grief, grievance
kund·geben, a, e make known, manifest. die **Kundgebung, –en** demonstration
das **Kunstleder, –** imitation leather. **künstlich** artificial, false
der **Kursus** (*pl.* **Kurse**) training course
kurz short. **kurzum** in short
der **Kuß, ⸚e** kiss. **küssen** kiss

lächeln to smile. **lächerlich** ridiculous
der **Laden, ⸚** store; blind, shutter
die **Landesgrenze, –n** border
die **Lang(e)weile** boredom
längst long since
der **Lärm** noise
lassen, ie, a let, allow
die **Last, –en** burden
das **Laster, –** vice
lateinisch Latin
der **Lauf** course
lebendig lively, alive. die **Lebensweise, –n** way of life
leergeschossen empty
lehmig muddy
lehnen to lean
die **Leibwache, –n** bodyguard
leid: es tut mir leid I am sorry. die **Leidenschaft, –en** passion
leider unfortunately
das **Leinen, –** linen. das **Leintuch, ⸚er** linen sheet
leise soft, gentle
der **Leiter, –** director
der **Lenz** spring (poetic), paradise
lesbar legible
letzt last. **letzten Endes** finally
liebevoll loving, affectionate
der **Lieblingsfilm, –e** favorite film
link(s) left
das **Loch, ⸚er** hole, opening, gap
locken lure, attract
lösen loosen, unhook
die **Luft, ⸚e** air, breeze
lungern loll, loiter
die **Lust, ⸚e** desire

machen make. s. **auf den Weg —** start out
mächtig mighty, powerful
mager thin, lean. die **Magermilch** skim milk
die **Majestät, –en** majesty, Your Majesty
die **Makrone, –n** macaroon
das **Mal, –e** time. **mal** times: **mit einem Male** all at once
manchmal sometimes
die **Männergestalt, –en** masculine figure
der **Mantel, ⸚** coat, overcoat
marschieren march
der **März** March
der *or* das **Marzipan** almond-paste candy
das **Maschinengewehr, –e** machine gun
matt pale
die **Mauer, –n** wall. die **Mauerlücke, –n** gap in the wall
melancholisch sad, gloomy
melden announce, inform, report
melken milk
die **Menge, –n** crowd, quantity, number, lot
merkwürdig strange
die **Messe, –n** mass
die **Meuterei, –en** mutiny, revolt. der **Meuterer, –** insurgent
mindestens at least
der **Ministerpräsident, –en** Prime Minister
der **Misthaufen, –** dung heap
das **Mitleid** pity, sympathy
mit·machen join, take (a course)
mit·teilen communicate, impart, divulge
mitten in the middle. **— in** in the middle of. **— drin** in the middle of
die **Möbel** (*pl.*) furniture
monatlich monthly
morgens in the morning
mühelos effortless. **mühsam** laborious
mündlich oral
murmeln murmur
mürrisch sullen
muskulös muscular
die **Muttersprache, –n** mother tongue
die **Mütze, –n** cap

nach after, toward, according to
der **Nachbar, –n** neighbor
nach•denken, a, a reflect, think things over. **nachdenklich** thoughtful, deep in thought
nach•gehen, i, a follow
nach•sehen, a, e look after, watch
das **Nachthemd, –en** nightgown
nach•tragen, u, a hold (a grudge) against
nachts at night
der **Nagel, ⸚** nail
nah near. **nähere Auskunft** further information
namens by the name of
nämlich namely, as a matter of fact
naß wet, damp
nebelhaft misty, foggy
neigen incline to
das **Nest, –er** nest; hick town
nett nice
neulich recently, lately
nichtig void, empty
nicken nod
nieder down. **nieder•werfen, a, o** throw down. **niedrig** low
niemals never. **niemand** nobody
die **Notiz, –en** note. das **Notizblatt, ⸚er** page, leaf
die **Nußecke, –n** a kind of pastry with nuts

oben above. **nach —** up. **ganz nach — stehen** to be all the way at the top
der **Oberst, –en** colonel. der **Oberstleutnant, –s** lieutenant colonel
der **Oberstatistiker, –** chief statistician
obwohl although
öde desolate, barren
der **Ofen, ⸚** stove
offenkundig apparent
offiziell official
das **Öl, –e** oil. das **Öllicht, –er** oil lamp. **ölverschmiert** oily
der **Orden, –** order, medal
die **Ordnung, –en** order
der **Ort, –e** place, spot, village, town
der **Osten** East. **ostwärts** eastward

das **Päckchen, –** little package. **packen** pack; grab. der **Packen, –** pack. das **Paket, –e** package
der **Palast, ⸚e** palace
der **Pantoffel, –n** slipper
der **Pappkarton, –s** cardboard box
die **Parlamentssitzung, –en** meeting of parliament
die **Partei, –en** (political) party
passen fit, suit
passieren happen; pass by
der **Patronengurt, –en** cartridge belt
peinlich painful
persönlich personal
das **Petroleum** oil
die **Pfanne, –n** pan. das **Pfannenmesser, –** spatula, pancake turner. der **Pfannkuchen, –** pancake
der **Pfarrer, –en** minister, pastor
der **Pferdewagen, –** horse-drawn vehicle
pflegen take care of, care for; be accustomed to
der **Pförtner, –** door man
die **Pfütze, –n** puddle
das **Plakat, –e** poster
platzen burst
plötzlich sudden
pochen knock
(das) **Polen** Poland. **polnisch** Polish
der **Posten, –** guard, sentry; post
prächtig splendid
prachtvoll wonderful
preußisch Prussian
probieren try
prozentual percent, expressed in percentage
pudern powder. der **Puderzucker** powdered sugar
die **Pupille, –n** pupil of the eye
putzen clean, shine, polish

quellen, o, o well up, emanate
quer oblique, at an angle. **— durch** across

das **Rad, ⸚er** wheel; bicycle
radieren erase. der **Radiergummi, –s** eraser
der **Rand, ⸚er** edge
ratlos at a loss
rätselhaft puzzling
rauchen smoke
s. raufen pull, pluck
raus = heraus
rechnen calculate, reckon. **rechnen mit** count on
rechts right

die **Rechtschreibung** orthography, spelling
die **Regel, –n** rule
der **Regen** rain. **regnen** rain
reiben, ie, ie rub
das **Reich, –e** realm
die **Reihe, –n** row. **der – nach** one after the other
rein pure
rein = herein
die **Reise, –n** trip, voyage, journey
reißen, i, i rip, tear
reiten, i, i ride (on horseback). die **Reiterin, –nen** equestrienne. das **Reiterregiment, –er** cavalry regiment
die **Rente, –n** pension
reparieren repair
restlich remaining
retten save. der **Retter, –** savior
der **Richter** judge. **richtig** right, correct, really
riechen, o, o smell
riesig gigantic
das **Rindvieh** ox
ringsum roundabout
rostig rusty
rötlich reddish
der **Ruf, –e** (war) cry
ruhen rest. **ruhig** calm; at rest
rund•gehen, i, a make the rounds
der **Russe, –n** Russian. **russisch** Russian

der **Saal,** *pl.* **Säle** hall
die **Sache, –n** thing, affair, cause
sagenhaft legendary
samten velvet
sämtlich all, complete
sanft gentle
der **Satz, ⸚e** sentence, rate
säuerlich sour
saufen, o, o drink (immoderately)
schäbig shabby
schade too bad. **schädlich** detrimental, injurious
schaffen, u, a create
der **Schalter, –** (light) switch
der **Schatten, –** shadow, shade
schätzen appreciate
der **Schein, –e** bill
scheinbar seeming
schenken give. **geschenkt bekommen** receive a gift
die **Scheune, –n** barn
die **Schicht, –en** shift
schieben, o, o shove
schief slanted, crooked
die **Schiene, –n** track, rail
schießen, o, o shoot. der **Schießstand, ⸚e** target
das **Schild, –er** sign
der **Schimmer, –** gleam
der **Schinken, –** ham
die **Schlacht, –en** battle
das **Schlafwagenabteil, –e** sleeping compartment
schlagen, u, a hit, drive, strike; inflict
der **Schlamm** mud. **schlammig** muddy
schlapp limp, weary
s. schleichen, i, i to slink, creep
schlendern stroll
schleppen drag
schlicht simple, plain
schließlich final
schlimm bad, annoying
schluchzen sob
schlucken swallow
schmal narrow, meager, small
schmecken taste
der **Schmelzkäse** soft cheese
schmierig greasy
der **Schmuck** jewelry
der **Schmutz** dirt. **schmutzig** dirty
der **Schnaps, ⸚e** hard liquor
der **Schnee** snow. die **Schneeflocke, –n** snowflake. das **Schneegestöber, –** snow storm, drifting snow. der **Schneestaub** powdery snow
schöpfen draw. der **Schöpflöffel, –** ladle
der **Schrank, ⸚e** wardrobe
die **Schranke, –n** barrier
schreckhaft frightened, fearful. **schrecklich** terrible
der **Schrei, –e** cry. **schreien, ie, ie** cry out, shout
der **Schritt, –e** step
der **Schuhputzer, –** shoe shiner
der **Schulhof, ⸚e** school yard
die **Schulter, –n** shoulder
die **Schüssel, –n** bowl
schütten pour
die **Schwäche, –n** weakness
die **Schwadron, –en** squadron
die **Schwelle, –n** threshold
schwenken swing, wave
schwer heavy
schwermütig melancholy, sad
das **Schwert, –er** sword
die **Schwierigkeit, –en** difficulty
schwinden, a, u disappear, vanish
die **Seelenmesse, –n** requiem
der **Segen, –** blessing. **segnen** bless
seitdem since; since then
selbst self, even
seltsam strange, odd

senkrecht vertical
sichtbar visible
der **Sieg, –e** victory. **siegen** be victorious. **siegreich** victorious
sinnlos senseless
sofort immediately, at once
sogar even
die **Soldatenmütze, –n** army cap
sonst otherwise
sooft as often as
soweit in so far (as)
sowieso anyhow
sowohl: — . . . wie as well . . . as
sparen save
der **Spaß, ⸚e** joke. **— machen** have fun, enjoy
spazieren·gehen, i, a take a walk
der **Speck** bacon
spontan spontaneous
die **Sprache, –n** language
spüren feel, detect, sense
der **Staat, –en** state. der **Staatsbürger, –** citizen
der **Stab, ⸚e** stick; army staff
stählern steel. der **Stahlhelm, –e** steel helmet
der **Stall, ⸚e** stable
stammen derive, stem, come (from)
stapeln pile
stark strong, severe
statt instead of
der **Staub** dust
steif stiff
die **Stelle, –n** position, job; spot. **stellen** place. die **Stellung, –en** position
der **Stempel, –** seal, stamp
die **Stimme, –n** voice
stimmen fit, be correct, tally
die **Stimmung, –en** mood
stocken stop, hesitate
stolz proud
strahlen beam
die **Straßenbahn, –en** streetcar
streuen scatter
stricken knit
die **Stube, –n** room
stumm mute, silent
stündlich every hour
der **Sturm, ⸚e** storm. **stürmisch** stormy, passionate
stürzen fall; plunge, rush

täglich daily
der **Tanz, ⸚e** dance
tappen tramp; grope
das **Taschenmesser, –** pocketknife. das **Taschentuch, ⸚er** handkerchief
s. tasten feel one's way, grope
tatsächlich actual, real
taumeln stumble, tumble
der **Teig** dough. die **Teigschüssel, –n** mixing bowl for dough
der **Teil, –e** part. **zum —** partly. **teilnehmen, a, o** take part, participate
der **Tintenstift, –e** indelible pencil
die **Tischdecke, –n** tablecloth. die **Tischkante, –n** edge of table
toben rage, romp noisily, be uproarious
tonlos toneless
tot dead, lifeless. **töten** kill. der **Totengräber, –** grave digger. das **Totenhaus, ⸚er** house of the dead; mortuary
der **Tournister, –** pack
der **Trambahnführer, –** streetcar motorman
die **Träne, –n** tear
transponieren transpose
trauen trust; wed. der **Trauring, –e** wedding ring
die **Traufe, –n** gutter, rainspout
der **Traum, ⸚e** dream. **träumen** dream
trennen separate
die **Tresse, –n** braid
treten, a, e step
treu loyal
das **Trinkgeld, –er** tip
trocken dry
trostlos cheerless, depressing. die **Trostlosigkeit** cheerlessness
trotz despite. **trotzdem** nevertheless. **trotzig** defiant
trüb dreary, gloomy
der **Trunk, ⸚e** drink, drinking
die **Tüchtigkeit** efficiency
tückisch malicious, mean
die **Türfüllung, –en** door panel. die **Türschwelle, –n** threshold

üben practice, exercise, drill
überall everywhere
die **Überfahrt, –en** trip across
überflüssig superfluous
übergehen, i, a go over
überhäufen overload
überhaupt in general, at all
überlegen reflect, consider
übernachten spend the night
überqueren cross
überreichen hand over
übersetzen translate
überstehen, a, a survive
übrig·bleiben, ie, ie remain

die **Übung, –en** practice, exercise, drill
der **Uhrmacher, –** watchmaker. das **Uhrwerk, –e** movement of a clock
um: um sein be over
umbranden surge around
umfassen comprise, concern
umklammern grip
der **Umweg, –e** detour, roundabout way
um•ziehen, o, o change (clothes)
unangenehm disagreeable
undurchdringlich impenetrable
unendlich endless, bottomless
unermüdlich untiring, indefatigable
die **Unfruchtbarkeit** sterility
ungedient not drafted
ungeheuer tremendous
ungezählt uncounted
unheimlich uncanny
unmittelbar immediate
unmöglich impossible
unordentlich disorderly, uncomfortable
unsagbar unspeakable
unschuldig innocent
unsichtbar invisible
unterbrechen, a, o interrupt
unterdrücken suppress
der **Unteroffizier, –e** noncommissioned officer
der **Unterricht** instruction
unterschätzen underestimate
unterschlagen, u, a embezzle, suppress, leave out
unterschreiben, ie, ie sign
die **Untertänigkeit** subservience
der **Unterton, ⸚e** undertone
untragbar unbearable, insufferable
unwahrscheinlich improbable
unzählig innumerable, countless
unzuverlässig unreliable
üppig voluptuous
das **Urteil, –e** judgment, verdict

väterlich paternal
verachten despise. **verächtlich** contemptuous, disdainful
verbieten, o, o forbid, prohibit
der **Verbrauch** consumption
der **Verbrecher, –** criminal
verbrennen, a, a burn
verdammt damn!; condemned
verdanken owe
verdienen earn, deserve
verehren respect, worship
verengen narrow
verfassen compose, write
verfluchen curse
vergebens in vain
s. vergewissern make sure
vergleichen, i, i compare
vergrößern enlarge
verheiraten marry
verhindern prevent
verkaufen sell
verkohlen burn out
verkommen, a, o go to pieces, degenerate
s. verkriechen, o, o creep away
verkünden report, inform
das **Verlangen, –** desire, urge
verlassen, ie, a leave, forsake; s. **— auf** rely on. **verlassen** (*part.*) abandoned
verlaufen, ie, au run; get lost
der **Verrat** treachery, betrayal
verrosten rust
verrückt crazy
versammeln gather
versaufen, o, o drink away
verschaffen obtain
verschieden various, different
verschießen, o, o exhaust, shoot away
verschlafen sleepy
der **Verschleiß** wearing out; margin of error
verschließen, o, o close, lock
verschlissen worn, ragged
verschlucken swallow (up)
verschollen missing, lost
verschonen spare
verschweigen, ie, ie keep from, conceal from
verschwimmen, a, o dissolve
verschwinden, a, u disappear
versetzen transfer
versichern assure
versinken, a, u sink
die **Verspätung, –en** delay
verstorben deceased
verströmen stream forth, pour forth
das **Vertrauen** confidence, trust. **vertraut** familiar
vertrinken, a, u drink away
verurteilen condemn
verwandeln transform, change
verwaschen (*part.*) faded
verweigern refuse
verweint tear-stained
die **Verwendung, –en** use, usage
verwirren confuse
verwunden wound
verzählen miscount
verzweifeln despair. **es ist zum Verzweifeln** it's enough to drive one mad
der **Vetter, –n** cousin

der **Viehwagon, –s** cattle car
das **Volk, ⸚er** people
vollgepfropft stuffed with, overloaded with
völlig complete
vollkommen perfect, entire
der **Volltreffer, –** direct hit
vorbei past
vorbei•ziehen, o, o move past
s. **vor•beugen** bend forward
das **Vorbild, –er** model, example
der **Vorgesetzte, –n** superior
vorher before
vor•kommen, a, o seem; happen
vorne to the front, in front
der **Vorschuß, ⸚e** advance (payment)
vorsichtig careful, cautious
s. **vorstellen** imagine. die **Vorstellung, –en** performance

wach awake
die **Waffe, –n** weapon
wählen choose, pick
wahnsinnig insane
wahrscheinlich probable
wanken to reel
die **Wartehalle, –n** waiting room
waschen, u, a wash
wässerig watery
weben to weave
wecken to awaken
wegen on account of
weg•huschen slip away
weg•radieren erase
weh•tun, a, a hurt
weich soft
weinen weep, cry
die **Weise, –n** way, manner
s. **wenden** turn
wenigstens at least
wertlos worthless
das **Wesen, –** creature, essence, being
westwärts westward
widerwärtig repulsive, repellent
die **Wiese, –n** meadow, pasture
wildfremd entirely strange
wirklich real
die **Wirtschaft, –en** inn
wund sore. die **Wunde, –n** wound
die **Wurst, ⸚e** sausage
würzig pungent
wütend furious, enraged

die **Zahl, –en** number, figure. **zahlen** pay. **zählen** count
zart delicate
das **Zeichen, –** sign
der **Zeigefinger, –** index finger. **zeigen** show, point. s. **zeigen** become evident
zensieren grade, mark
zerbröckeln crumble
zerfetzen tear to shreds
zerplatzen burst apart
zerreißen, i, i tear to pieces
zerschmelzen, a, o melt
zerstören destroy
zerstreuen scatter, disperse
der **Zettel, –** slip of paper, card
das **Zeug** stuff
ziehen, o, o pull, move, draw, advance
das **Ziel, –e** goal
zierlich delicate, dainty
die **Ziffer, –n** figure, numeral
der **Zins, –en** interest
die **Zirkusreiterin, –nen** circus equestrienne
zittern tremble
der **Zivilist, –en** civilian
zögern hesitate
zornig angry
zucken twitch, shrug
der **Zuckerguß, ⸚e** sugar frosting
zu•decken cover
zuerst at first
zufällig by chance, accidental
zu•führen put (to), introduce
der **Zug, ⸚e** train; feature
zugig draughty
zu•hören listen
zu•jubeln applaud
zurecht•rücken adjust
zurück•kehren return
s. **zurück•lehnen** lean back
zurück•weichen, i, i shrink back, fall back
zusammen•brechen, a, o collapse
zusammen•falten fold
zusammen•laufen, ie, au run together, join
zusammen•raffen snatch up, grab, scrape together
zu•schlagen, u, a slam shut
zu•schneien snow under, snow up
zu•schnüren constrict
zu•sehen, a, e watch
zuverlässig reliable
zuvor before
zuvor•kommen, a, o anticipate
zu•wenden turn toward
zu•zwitschern chirp, chatter
zwar to be sure, indeed
die **Zwiebel, –n** onion
zwingen, a, u force, compel
zwinkern wink
zwischendurch in between
der **Zwischenfall, ⸚e** incident